D0755273

Moments tendres

LES ÉDITIONS QUEBECOR
Une division du GROUPE QUEBECOR INC.
225 est, rue Roy
Montréal, Qué. H2W 2N6
tél.: (514) 282-9600

Distributeur exclusif
AGENCE DE DISTRIBUTION POPULAIRE INC.
955, rue Amherst
Montréal, Qué. H2L 3K4
tél.: (514) 523-1182

Dépots légaux, troisième trimestre 1980:
Bibliothèque nationale du Québec et
Bibliothèque nationale du Canada
ISBN 2-89089-099-6

Moments tendres

SERGE LAPRADE

TABLE DES MATIÈRES

REMERCIEMENTS

Je dédie ce livre à mon cher public, à Darseno, Lise, Rolande, Pierre, Thérèse et Marcel, Francine, Danièle, Yolande et Laurette pour la raison très simple que, chacun à votre façon, vous savez mettre de la beauté dans mon quotidien.

J'espère en faire autant.

Serge

«Une certaine naïveté que j'aime et que je sens en moi me pousse à vous offrir ce recueil.»

PRÉFACE

«Personnalité»

Ce n'est pas le choix des mots
La tournure des phrases
Le style de cette littérature
Comme l'amour de la beauté simple
Qui vous fera aimer ce recueil

«Quelques-uns savent...
D'autres ne savent pas.»

MOT DE L'AUTEUR

Ce livre de philosophie populaire n'a qu'un but: mettre de la beauté dans votre quotidien. Ce n'est pas un bouquin UNE FOIS POUR TOUTES, mais plutôt POUR TOUTES LES FOIS. Vous pouvez lire ce livre d'un trait, si vous voulez, mais dans ce cas, je vous conseille de le reprendre texte par texte, avec beaucoup d'attention. Après chacun, vous vous arrêtez, vous l'intériorisez, le méditez, puis vous pouvez en discuter avec les autres. Mais ne vous attendez pas à ce qu'il y ait unanimité. Après tout, il faut respecter l'opinion des autres. Et toute discussion peut être enrichissante. Prenez ce livre par petite dose. C'est nécessaire, je crois, pour bien l'assimiler. La meilleure manière est de lire un texte par jour. Vous pourrez ainsi en tirer le plus grand profit. Chacun de ces textes est nécessairement incomplet en soi — d'ailleurs, tous les écrits ne le sont-ils pas? — mais au fond, ceci est un avantage. Car ainsi, chaque texte en appelle un autre et, paradoxalement, par son insuffisance, est source de réflexion, de dialogue. Chaque texte se transformera en étincelle provoquant l'explosion de cet humanisme qui se retrouve à différents degrés en chacun de nous.

Ne me laissez pas tomber. Ce livre dont le but n'est pas de vous imposer quoi que ce soit, vise plutôt à rassembler des mots, des lignes qui vous en feront inventer d'autres selon vos propres sentiments, vos propres goûts et selon vos propres expériences. N'oubliez jamais que vous faites partie de l'univers et que vous êtes un univers avec ses choses connues et prévisibles, mais aussi avec ses immenses caractéristiques insoupçonnées que même la science moderne n'a pu connaître à ce jour et ne connaîtra peut-être jamais. Nous sommes tous illimités en ce sens que l'impalpable n'a pas vraiment de frontières, mais il est capital de connaître nos limites dans ce que nous avons de connu... pour être beau.

Bonne lecture.

Mettre de la beauté dans son quotidien

Une seule idée me guide, me hante devrais-je dire, dans tout ce que j'entreprends: «C'est de mettre de la beauté dans mon quotidien.» Cette phrase dont les deux parties se dressent presque l'une contre l'autre (beauté et quotidien) constitue pour moi ma raison de vivre. C'est un défi que je me suis lancé. Pendant que la beauté dans toute sa splendeur se fait rare, le quotidien avec sa grisaille et sa routine compose notre lot de tous les jours et nous empêche très souvent de nous dépasser, d'être beau et de trouver la vie belle. Que faire?

Si tu attends de pouvoir accéder à l'ultime beauté par l'entremise des quelques fois où elle se présente dans une vie, tu seras malheureux toute ta vie. Avouons-le, jamais le jeu des circonstances n'est tout à fait idéal. Ce qu'il faut, je crois, c'est de savoir que la beauté existe, bien l'identifier et faire en sorte que ton quotidien s'en inspire et devienne source de beauté.

Tous les jours de ta vie sont composés de milliers de pensées et de gestes. D'abord, il te faut créer l'harmonie entre le geste que tu poses et la pensée dont il origine et déjà, parfois sans le savoir, tu détiens une partie de la solution vitale. Oh! je sais bien que ton cœur et ta raison essaieront tous les deux de s'approprier la paternité du résultat. Ne les laisse pas faire. À mon avis, seul un dosage approprié de l'un et de l'autre, le plus parfait possible, vise à la vraie beauté. Ce processus simple, exécuté pour chacune de tes pensées et gestes étoffera ton quotidien de telle sorte que ta vraie nature belle et bonne brillera au grand jour.

C'est cela mettre de la beauté dans son quotidien et c'est évidemment une occupation constante. Du lever au coucher, seul ou avec d'autres, au travail comme au repos, l'ardeur que tu mettras à pratiquer cette simple philosophie enrichira ta personne et te procurera un bonheur incroyable. Tu es beau quand tu es heureux, n'est-ce pas vrai? Alors, essaie.

Cette façon de vivre ta vie t'amènera à donner de la valeur aux choses que tu as plutôt que de tenter de tout acquérir. Cela revient à choisir la qualité plutôt que la quantité.

Ce genre de propos, vous le savez j'espère, sinon je vous le signale en passant, constitue l'essentiel de ma vie et par conséquent de mon message à la radio de CKAC. Pour les besoins de la cause, j'ai décortiqué la beauté en trois composantes d'égale valeur: AMOUR, TENDRESSE ET AMITIÉ. L'homme n'est pas que de raison, l'homme n'est pas que de cœur et ces deux régisseurs de l'activité humaine doivent plutôt se compléter au bénéfice de la beauté équilibrée.

Pour rien au monde je ne voudrais passer pour un moralisateur. D'ailleurs ce serait complètement faux puisque je m'occupe du moral et non de la morale. À ma façon et au travers d'un métier qui n'est pas toujours compatible avec ce genre de propos, j'ai décidé de servir la cause de l'être humain en commençant par les gens qui m'entourent.

Cette plaquette se veut donc une suite logique au «moment tendre» de la radio, du disque et de la télévision. Comme je suis de ceux qui croient qu'une réussite, un vrai succès doit d'abord correspondre à un besoin naturel, laissez-moi vous offrir humblement un bouquet de textes, composé de glanures, d'authentique, d'adaptations, de reprises, d'occasionnel et j'espère... d'éternel.

Cinq ans déjà

D'abord, le 12 mai 1975, il y a eu notre rencontre. On s'est apprivoisé petit à petit.

On s'est mieux connu, on s'est fait confiance, on s'est rencontré à l'occasion. On a été fidèle, enfin... je n'ose croire le contraire.

Bien sûr en cinq ans, de part et d'autre, on a vieilli un peu plus. La chance nous a souri souvent. Mais il y a eu aussi les moments plus creux, le manque d'argent et parfois même la maladie. Mais qu'importe, on s'est serré les coudes. Je voulais être là tous les matins pour vous assister et vous demander de ne pas lâcher. Ah oui! On s'est relevé le moral dans les temps difficiles.

L'amour que l'on se porte tient beaucoup plus de la religion que de toute autre chose. On se possède par l'entremise de l'âme, le cœur n'en est que le représentant.

Je vous aime tel que vous êtes nonobstant votre couleur, vos options politiques, votre statut social, votre âge, votre sexe. Je vous aime profondément.

L'amour, la tendresse, l'amitié et l'entraide ont été et continuent d'être notre nourriture quotidienne et comme par miracle, plus on s'en donne, plus il nous en reste. Dans ces conditions, l'avenir nous appartient.

Je me souhaite d'être encore là longtemps et partout où je pourrai de vous suggérer de mettre de la beauté dans votre quotidien.

Par vous et pour vous je vis pleinement.

Merci

Lettres du public

Permettez-moi de porter à votre attention quelques lettres de mon courrier quotidien. Même si je lis toutes les lettres que je reçois et que j'essaie d'y répondre dans un délai raisonnable, force m'est de n'en publier que quelques-unes, au hasard.

Cette idée me vient du fait que beaucoup de gens se demandent, mais qu'est-ce que certaines personnes peuvent bien écrire à un artiste? Je ne vous cacherai pas qu'il m'est arrivé de recevoir au cours des ans, des lettres pour le moins très particulières, mais cela reste l'exception.

La majeure partie de mon courrier est directement en relation avec ma philosophie et son message.

Ces lettres que vous lirez sont authentiques, je ne les ai pas inventées, ni trafiquées en aucune façon.

Comme les gens en général veulent garder l'anonymat, je m'y conforme volontiers.

Le monde possède une nature foncièrement belle et ces lettres m'en donnent la preuve tous les jours. J'ose croire qu'il ne s'agit pas là de pensées et de mots isolés ou exceptionnels, mais de lettres qui correspondent à ce que pensent et vivent des milliers de gens. C'est pourquoi plusieurs d'entre elles ont fait l'objet de moments tendres pour le plus grand bien de ceux qui les ont entendus.

Merci à vous, pour cette beauté.

Serge

Le 20 octobre

Bonjour Serge,

Je veux d'abord vous féliciter pour votre émission du matin; sans aucun doute, et sans vouloir minimiser le travail des autres annonceurs, votre émission à CKAC est la meilleure émission du genre, et cela, à cause de vos talents d'animateur. Vous êtes tout simplement extraordinaire (et ici je me fais le porte-parole d'une foule de gens). Serge, merci.

J'écoute votre émission dans la mesure du possible et particulièrement, le moment tendre. C'est extraordinaire tout ce qui peut en ressortir.

Ce matin, je veux y apporter mon humble contribution et vous faire part de ce que je ressens vis-à-vis de certaines choses, au niveau de la famille, et particulièrement sur la sincérité et la confiance.

La sincérité, c'est la clé de la confiance, et cette confiance, c'est la porte de la compréhension. Je crois de plus que la compréhension, c'est la solution aux problèmes familiaux et tout ça, c'est finalement le bonheur.

Bien sûr, tout ça n'est pas si facile, mais c'est possible. La famille où règne l'harmonie, c'est la plus belle cellule qui puisse exister, et c'est la plus grande joie que l'on peut avoir, tout comme c'est la plus grande épreuve qui puisse nous arriver si ces valeurs ne sont pas sauvegardées.

Quelle joie de me voir en présence de ma femme et de mes enfants, tous disponibles les uns pour les autres. Quelle joie de voir la télé ensemble, de s'amuser tous ensemble, de causer tous ensemble! Mais tout ça suppose beaucoup d'amour et pour ça, il faut de la confiance, il faut de la sincérité entre nous. Bien sûr, tout ça se reflète ailleurs, comme au bureau, à l'école, chez les amis, partout.

Nous, on n'est ni riche ni pauvre. Il nous arrive parfois de rêver que l'on roule sur l'or, afin de pouvoir se procurer tout ce que l'on voudrait, un rêve, c'est la seule chose qui ne coûte rien. Mais l'on comprend que l'on a bien mieux que ça, c'est l'amour que l'on a les uns pour les autres, la confiance que l'on a entre nous.

Bien sûr, il nous arrive à nous aussi des petits problèmes, mais que c'est consolant de savoir que l'on peut toujours compter sur l'autre qui est à côté de nous et lui faire confiance.

Maintenant, serait-ce possible que chaque ville, chaque village soit une petite famille comme nous, bâsée sur la sincérité, et conséquemment sur la confiance et sur la compréhension? Je crois que oui; essayons.

Bonjour à tous

Un homme tendre dans une famille heureuse

Vendredi, 8 juin

Bonjour,

Suite à l'appel lancé ce matin, pour recevoir quelques textes ayant rapport avec la fête des Pères, en voici un.

Non en compétition avec «Cherchez la Femme», il vient, je crois compléter en disant: «Trouvez l'Homme».

TROUVEZ L'HOMME

Trouvez l'homme
qui aime son travail,
qui est fier
de lui-même
et apporte de l'enthousiasme
à chaque nouvel effort...

Trouvez l'homme
qui est aimé
de sa famille
et respecté
par ses amis...

Trouvez l'homme
qui est activement engagé
à vivre sa vie
dans sa plénitude
vingt-quatre heures par jour...

Et je vais vous montrer un homme heureux.

«Carte de souhait»

Le 11 mars

Mon cher Serge!

Au nom de ces centaines d'auditeurs (trices) qui n'osent ou ne peuvent te le dire: Merci!...

Merci pour ta tendresse
Merci pour ta charité
Merci pour ta chaleur
Merci pour les malades
Merci pour les vieux
Merci pour nous tous

Merci d'apporter, à ton émission et dans des milliers de foyers, par le truchement de la radio, un peu de douceur, un peu de tendresse.

J'espère qu'un peu de cette douceur que tu possèdes, déteindra sur ne fût-ce qu'un seul de ces révoltés et ces violents dont semble rempli le monde d'aujourd'hui.

Il fait doux au cœur, comme aux oreilles, d'ailleurs, de se saturer d'amour et de douceur, ne fût-ce que quelques heures par jour. On dirait que ça nous conditionne mieux, tôt le matin, et il semble que par la suite il soit plus facile, comme si cela se pouvait, de digérer le reste des jours.

Crois-moi, c'est toujours rafraîchissant ton émission de l'avant-midi avec tous les malheurs du monde entier, ça fait comme on pourrait dire, comme une pause café, permettant à notre cœur de se détendre lui aussi. C'est une formule de détente qu'apprécient des milliers de gens. Ça fait concurrence à ce stress beaucoup trop encombrant pour tous.

J'espère que ma lettre t'apportera un peu de joie et de soleil, même s'il fait une tempête dehors.

Je te salue et t'embrasse pour moi, puis pour tous ces gens qui pensent comme moi.

Continue d'envoyer ton message d'amour, tous ensemble, on devrait bien arriver à quelque chose de positif.

Merci et sois assuré que je suis au rendez-vous chaque matin pour prendre ma pause de douceur non vendue en pharmacie.

Sincèrement
Anonyme

Immanquablement en pensant à toi, j'ai le goût de jouer au poète. C'est sans prétention, je sais tellement que ce sont de pauvres essais. J'avais songé intituler ceci «Belle solitude», car c'est ton cas, le mien et celui de beaucoup d'autres, mais tout comme toi, j'organise ma vie pour la trouver belle cette solitude.

«Étapes d'une vie» cela cadrait mieux avec le contenu du poème.

Étapes d'une vie

Combien de fois n'avons-nous pas entendu dire:
L'homme n'est pas fait pour vivre seul!
Le tout petit n'a-t-il pas besoin de l'amour maternel?
Entouré de sa mère, il n'est qu'éclats de rire,
Cajolé, souvent bercé par son aïeule,
Pour ce bébé tout rose, la vie a la douceur du miel.

Déjà l'école, il lui faut préparer son avenir.
Délaissant quelque peu ce qui fût son bonheur,
Il veut à tout prix être entouré d'amis.
Le savoir du professeur dans lequel il se mire,
Lui fera désirer apprendre de tout cœur,
Pour devenir semblable et s'armer pour la vie.

Et voilà, le bébé d'autrefois est devenu un homme.
Sa carrière commence, il va bien réussir.
Il devra cotoyer des gens de toutes sortes,
Les efforts apportés combien il en connaît la somme!

Pour atteindre tout cela il affronte le pire,
Mais au bout du chemin, grandes ouvertes sont les portes.

Cette vie si bien réussie, on la voit qui s'écoule.
Quel bonheur de regarder derrière soi,
Se sentir heureux d'avoir prodigué tant de sollicitude.
À tous ceux en qui on a eu grande foi.
On pourra se sentir seul parmi la foule,
Comme c'est beau de pouvoir dire: «Non, je ne suis jamais seul avec ma solitude»

Anonyme

Mercredi, 18 janvier

Bonjour Serge,

Permettez-moi de vous remercier pour les bons sentiments que vous exprimez et que vous éveillez chez vos auditeurs.

Femme heureuse et mère comblée durant mes jeunes années, je suis maintenant une épouse toujours heureuse mais une mère déçue et privée de la tendresse de ses enfants à cause de la nouvelle orientation des idées sociales.

Souvent alors que j'ai le cœur débordant d'amertume et de larmes, je vous entends recommander aux auditeurs d'être optimistes, de voir ce qu'il y a de beau dans la vie, de sourire; et bien je vous souris, je refoule mes larmes, je regarde quelque chose de beau et je reprends courage.

Un autre conseil que vous formulez me touche beaucoup: «rendez quelqu'un heureux dans votre vie». Vous ne le répéterez jamais assez. Pour ma part, il m'a souvent inspiré un téléphone à une personne seule ou de bons mots à une autre, même une visite qui me demandait un effort.

Ce serait agréable pour moi de vous accorder tout le mérite du bien que vous me faites, mais étant profondément croyante, je sais que vous êtes mon troisième ami. Dieu, mon mari et vous.

J'espère que vous continuerez à animer une émission qui n'est pas banale et que je vous ai rendu heureux.

Anonyme

Le 17 mars

Un deuxième souffle... c'est possible

Bonjour,

Faisant suite à notre «courte» conversation, comme j'écoute toujours CKAC, à un moment donné vous parlez des femmes qui pouvaient facilement devenir «alcooliques». La façon dont elles commencent — et allons-y pour l'avouer, je me rends compte que j'en suis une... depuis 6 mois. Au début, une bière me suffisait au lunch — quelques semaines plus tard, il m'en fallait deux et trois et de plus en plus tôt avant le «lunch». Ensuite venait 5 heures — l'heure de l'appéritif... Mon mari était président d'une compagnie et j'étais devenue la femme qui se sentait «esclave» — faisant partie des «meubles» de la maison quoi!

Un soir où nous étions seuls (les enfants étant partis en vacances) je lui avoue le tout et l'implore de m'aider en modérant son alcool! Je savais que c'était difficile pour lui car les «lunch d'affaires» etc. Il cessa pour quelques semaines mais reprit de plus belle — en plus il avait une grosse décision à prendre (depuis mai qu'il en parlait et je lui accordais tout mon appui) laisser une position de président pour partir à son compte. Pendant un mois et demi, il se couchait rempli de nourriture et d'alcool — s'endormant en frappant l'oreiller. Pendant ce temps, je me promenais d'un lit à un divan — dormant à peine quelques heures par nuit.

Nous avons toujours eu une vie sociale pas mal remplie. En juillet, je dois revoir mon orthopédiste — je me suis fait enlever un disque dans la colonne, car je ressentais des douleurs terribles. Il me met au repos et me prescrit des valium 10 mg, 3 fois par jour. C'est alors que je décide soudainement d'arrêter de prendre un verre car j'avais une peur bleue de mêler les deux. J'étais heureuse — tellement heureuse — ce fut très difficile mais ça valait le coup. Ce que la volonté peut faire. J'avais réussi «seule».

À la mi-septembre, nous partons pour Miami — convention 4 jours et 6 jours de repos.

En arrivant à l'hôtel, il continua à boire en regardant la TV — moi étendue près de lui — j'attendais au moins une petite caresse, un bon mot, non. Après 3 jours, je l'implore de revenir à Montréal. En arrivant à la maison, un tremblement terrible me prend des pieds à la tête. Hôpital où je rencontre mon gynécologue, psychiatre, etc. Après quelques jours je reviens à la maison. En octobre mon beau-père subit une opération — et ma mère aussi. Comment j'ai passé au travers, je détestais. Mon mari insistait pour que je le voie me disant je détestais. Mon mari insistait pour que je le vois me disant que j'avais des hauts et des bas! Mais qui n'en a pas. Pour m'en défaire, j'annule un rendez-vous avisant sa secrétaire que je le rappellerais — ce que je n'ai jamais fait... Je rappelle plutôt mon orthopédiste. J'avais besoin de mon mari et non d'un psychiatre — ce qu'un soir je lui écris sur un bout de papier avant d'aller au lit...

Enfin, après plusieurs petits tête-à-tête avec mon mari, je lui explique le tout: «tu sais le dialogue on est 6 millions faut s'parler, ça marche».

Je suis maintenant secrétaire de son commerce avec 3 autres partenaires ayant des bureaux à Toronto et à Vancouver. Je me sens femme pleinement épanouie et plus heureuse que jamais et surtout utile. Je prends un verre à l'occasion... sans plus.

Nous recommençons une deuxième vie, moi 40 ans et lui 45. On s'adore.

Et voilà — excuse la longue lettre.

Anonyme

Le 24 octobre

Mon cher Serge,

Toi qui as le privilège de te servir des ondes radiophoniques pour transmettre à tes nombreux auditeurs des messages de bonheur, de courage et de joie de vivre, je te dis merci, car tu m'as souvent aidée durant les jours gris, alors que j'avais les idées noires, par la magie de tes bons mots, au bon moment, tu m'as fait voir la vie en ROSE.

Me permets-tu de te donner une petite recette de bonheur, qui a de gros, gros résultats bienfaisants, car évidemment, tu comprends bien que je l'ai expérimentée auparavant.

Je suis une grand-maman de 58 ans, et comme bien d'autres personnes de mon âge, j'ai subi les réactions des mamans dont les enfants sont sortis de leur nid, et qui se demandent à quoi elles servent dans la vie. Même, si j'ai la chance de pouvoir confectionner avec mes dix doigts, tricots, macramé, tissage, etc. j'étais quand même seule entre quatre murs.

Un beau jour, j'ai été approchée pour faire du bénévolat dans l'hôpital de ma belle localité de Repentigny. J'ai accepté avec un peu d'appréhension, je te l'avoue, car je ne savais pas à ce moment-là, si j'avais le potentiel requis pour répondre à un appel semblable. Les résultats sont fantastiques: mon mari et mes enfants ne me reconnaissent plus tellement je suis épanouie. Je donne une journée par semaine, j'arrive à l'hôpital à 9 heures le matin et je suis là jusqu'à 3 heures l'après-midi, je trottine d'une chambre à l'autre en parlant et encourageant les personnes les plus déprimées, les bénévoles distribuent les plateaux pour le dîner, font manger les patients incapables de le faire eux-mêmes, puis retireront aussi les mêmes plateaux après le repas. Il serait trop long d'énumérer ici les autres services que nous remplissons dans la joie, car je veux que tu me lises jusqu'à la fin.

Bien qu'étant un peu fatiguée à l'heure de mon départ, je suis tellement enrichie de mon expérience, que je n'ai que le goût de venir gâter mon mari à son tour, en lui mijotant un bon petit plat, pour le repas qui l'accueillera à son retour du travail. Je t'assure qu'il n'a même pas besoin de me demander: Comment vas-tu? La réponse est tout simplement dans mes yeux qui reflètent le bien-être de mon âme et en même temps la santé de mon corps. En un mot, je n'ai jamais été aussi bien dans ma peau.

Serge, je profite de l'occasion pour te dire combien je suis près de toi, j'ai été très touchée d'apprendre que tu as perdu ta mère très jeune, et j'ai pleuré lorsqu'à l'occasion de la fête des Pères, tu as rendu hommage à l'auteur de tes jours.

Sois assuré que dans mon cœur de mère, tu y as une belle petite place toute chaude.

Je t'embrasse bien fort au nom de ta maman.

Anonyme

Bonjour Serge,

Je me permets dc venir te raconter une expérience que j'ai vécue, et qui je l'espère pourra redonner courage à quelques futures mamans, car je te considère comme un ami, je trouve qu'avec tes lettres et tes commentaires, tu nous fais beaucoup de bien. L'an dernier, à cette date, je devins enceinte. J'étais désespérée. Pourtant j'ai un très bon mari, une belle maison et une belle vie dorée, donc j'avais tout pour accepter le bébé avec joie, mais j'ai aussi une petite fille de six ans qui me rend la vie dure à cause de sa santé un peu spéciale. Je pleurais jour et nuit. Oh! bien sûr, vu de l'extérieur, je devais avoir l'air d'une belle égoïste, mais moi je savais comment c'était dans ma cage dorée. Je me disais s'il fallait que cet enfant soit comme cette petite. De plus, j'avais eu un accouchement difficile au premier bébé et cela me faisait grand peur. J'adore mon premier enfant et je l'ai habitué à beaucoup de ma présence étant donné son état de santé et je me disais que ce bébé me prendrait mon temps et que ma petite en souffrirait. Bref, je voyais ce bébé comme un intrus. Ce que j'ai pensé à ce moment de ce bébé, ça ne se dit pas.

Au fur et à mesure que les mois passaient, je devins moins triste, malgré que je fus très malade pendant les neuf mois et malgré tous les malheurs qui nous sont tombés dessus: accident d'auto, perte d'argent, incendie, maladie, etc. Ce n'était rien pour m'aider.

Le dernier mois qui a précédé mon accouchement, j'ai passé une bonne partie de mes nuits au chevet de ma petite. Et comme le veut le dicton: «La nuit porte conseil». Ces heures passées assise près du petit lit, dans la pénombre, à écouter une respiration difficile et à sentir ce petit bébé bouger en moi, m'ont fait réfléchir et comprendre beaucoup de choses entre autres que les deux avaient besoin de moi. En décembre, j'ai donné naissance à une adorable petite fille toute rose et toute belle. Mon mari assistait à l'accouchement qui se déroula très bien contrairement à la première fois et ce fut pour moi la plus belle expérience de ma vie. Aujourd'hui, je regrette énormément les paroles amères que j'avais envers ce petit bébé. Quand je la prends dans mes bras et qu'elle me sourit, je lui demande pardon de ne pas l'avoir désirée au tout début de sa petite vie et je souhaite que jamais elle ne ressente que sa mère ne la voulait pas.

C'est un bébé qui ne pleure jamais, elle est très douce et chaque matin quand j'ouvre la porte de sa chambre, elle me sourit. Alors je la prends et ce calme et cette douceur qu'elle dégage se communique à moi, je me sens à ce moment, l'âme baignée de paix et de tendresse. Merci petite Sophie merci. Cette enfant fait notre joie et nous avons maintenant deux petits soleils dans la maison.

J'espère que ma lettre pourra donner un peu de courage et d'espoir aux futures mamans qui vivent un peu la même histoire que moi. Dites-vous que le temps arrange les choses et que ce petit peut vous apporter quelque chose de neuf, un surplus d'amour ce n'est pas à dédaigner dans ce monde de haine et de violence où nous vivons.

Quant à toi Serge continue le beau travail que tu fais, tu rends nos avant-midi tellement agréables. Si je te disais qu'il y a des matins où tu es tellement présent que j'ai envie de te faire un café quand je m'en fais un.

Un maman heureuse

Déjeuner du matin

Il a mis le café dans la tasse
Il a mis le lait dans la tasse de café
Il a mis le sucre dans le café au lait
Avec la petite cuiller, il a tourné
Il a bu le café au lait
Et il a reposé la tasse sans me parler
Il a allumé une cigarette
Il a fait des ronds avec la fumée
Il a mis les cendres dans le cendrier
Sans me parler, sans me regarder, il s'est levé
Il a mis son manteau de pluie
Parce qu'il pleuvait, et il est parti
Sous la pluie, sans une parole, sans me regarder
Et moi j'ai pris ma tête dans mes mains
Et j'ai pleuré

Extrait de: *Paroles*, Jacques Prévert

Quand on en est là c'est que rien ne va plus, il faut faire quelque chose.
On n'a pas le droit de souffrir de solitude... à deux.
Quand les deux ne doivent faire qu'un.

La maîtresse

La maîtresse de mon mari
avait des yeux ardents, une taille fine
et des lèvres accueillantes
Et je suis bien différente
J'ai des yeux fatigués, une taille alourdie
et des lèvres usées.

La maîtresse de mon mari
avait des rires jeunes, des idées extravagantes
et le don de savoir l'écouter.
Et je suis bien différente
j'ai oublié le rire, mes idées sont noires
et je ne sais plus l'écouter.

La maîtresse de mon mari
je l'envie et je la hais
car je ne pourrai plus jamais l'égaler.
J'ai des soucis, la charge du foyer
les enfants à surveiller, mon mari à supporter.

La maîtresse de mon mari
je l'envie et je la hais.

La maîtresse de mon mari
C'était moi... il y a vingt ans.

«Glanure»

Pensées

Tout livre qui ne s'adresse pas à la majorité, nombre et intelligence, est un sot livre (Baudelaire).

Qu'on dise: «il osa trop, mais l'audace était belle» (Sainte-Beuve).

Voir le jour se lever est plus utile que d'entendre la symphonie pastorale (Claude Debussy).

N'est-elle pas plus morale, l'union libre de deux amants qui s'aiment, que l'union légitime de deux êtres sans amour? (Georges Feydeau).

Septembre

Je me demande si l'année ne commence pas deux fois: en janvier et en septembre? Car septembre est le mois de la réorganisation du temps. Chacun fait le point. Chacun calcule son budget. Même les pommiers et les vignes distribuent leurs dividendes! Mais il existe un autre budget souvent négligé et septembre nous offre l'occasion d'en parler.

Il y a un certain nombre d'années, nous avons reçu un capital précieux et mystérieux: LA VIE. Ce capital, il s'agit de ne pas le laisser dormir. Il faut lui faire rendre des intérêts: pour nous-mêmes et pour les autres. Mais des intérêts qui varieront évidemment avec le capital confié. À chacun de voir comment il peut faire fructifier pour son bien, les richesses initiales.

Cependant, il ne peut être question de les garder égoïstement pour soi-même. Il est bon de savoir partager. Mais qui de nous, ne connaît la banale objection — «Comment partager? je n'ai pas d'argent!»

Dans certains cas c'est malheureusement exact. Mais à défaut d'argent, vous avez tant d'autres choses à partager avec ceux que vous croisez sur le chemin de la vie.

Êtes-vous disponible?	Offrez votre temps.
Êtes-vous instruit?	Offrez votre savoir.
Êtes-vous adroit?	Offrez votre ingéniosité.

Êtes-vous actif?	Offrez votre dynamisme.
Êtes-vous poète?	Offrez votre idéal.
Êtes-vous lucide?	Offrez votre sagacité.
Êtes-vous solide?	Offrez votre appui.
Êtes-vous optimiste?	Offrez votre joie de vivre.

Si vous voyez clair, prêtez vos yeux aux aveugles et si vous avez de bonnes jambes, marchez pour les handicapés. Si vous êtes en bonne santé, allez voir les alités et si vous avez de l'humour, profitez-en pour égayer les moroses. En un mot, tendez à tous, vos deux mains, telles que la vie vous les a faites. C'est alors que le partage avec les autres entrera résolument dans le budget de votre année. C'est une façon de mettre de la beauté dans son quotidien.

«Glanure»

Un roman d'amour

Depuis longtemps je l'aimais en silence.
Un soir de fête la chance me sourit.
Il frappe doucement à la porte de mon cœur.
Un sourire, une première danse.
Quelques mots, un premier baiser.
Une première sortie.
Je n'ose pas lui dévoiler mon amour.
Peu de mots dans ce premier tête-à-tête.
Un petit chemin, un lac, des sentiers.
Un coin de ciel bleu, le soleil...
Je suis heureuse et j'ai peur.
Peur de ses lèvres, de ses yeux mystérieux.
Peur de ses mains longues et blanches.
J'ai peur de mon amour.
Un baiser doux et tendre.

Une étreinte timide, un tourbillon.
Comme un bateau dans la tempête.
Ses yeux quand il me regarde
Pénètrent au plus profond de moi.
Tendre et chaleureux, il m'inspire confiance.
Peu à peu je parle avec lui.
Son sourire est quelquefois mystérieux.
J'aime son sourire et aussi ses larmes.
Parce que je l'aime, je le console.
Ses yeux mouillés de larmes perdent leur mystère.
Il est alors comme un enfant
Qui demande protection, chaleur et amour.
Un homme qui pleure c'est un enfant.
Et cet enfant, il est à moi.
Il est à moi parce que je l'aime.
Je l'aime et je suis heureuse.
La peur pour moi n'existe plus.
Depuis longtemps je l'aimais en silence.
Un soir de fête la chance me sourit.
Un sourire, une première danse...
De ce roman d'amour, nous célébrons notre
trentième anniversaire de mariage.

J'ai ben d'la fierté de t'appeler «papa»

Vous vous interrogez sur cette fierté
Qui se dégage de moi?
Lorsque vous me demandez qui il est:
C'est mon père, voilà qui il est.
Lorsque j'étais petit, c'était mon grand modèle.
Pour m'aider quand j'avais des ennuis
Avec les petits voisins, c'était ma béquille.
D'ailleurs vous souvenez-vous des:
«Mon père est plus fort que le tien».

Et c'était vrai,
Car c'était lui qui me soulevait de terre avec aisance,
C'est lui qui me donnait les raclées dont je me souvenais.
Grand comme un édifice, large comme un camion,
Il avait et a toujours cette douceur et cette compréhension
Des problèmes de la famille;
Il les suit de si près qu'il semble être
Le grand inquisiteur de tout ce qui se passe.
Grand exemple que mon père était
Et il l'est toujours alors que je grandis.
Sous un autre angle, il devient un ami.
C'est lui qui critique et dirige en partie ma vie
En mettant à profit sur mon chemin
Son expérience de ses jours heureux ou malheureux.

Mon grand-père a aussi en moi cette image d'échafaudage
Où sur chaque étage on peut en ajouter un autre.
Oui mon père je l'aime, j'en ai besoin
Et je crois qu'il a besoin de moi
Pour remplir une partie de sa vie.

Pourtant les moments où j'exprime ma gratitude sont rares.
J'espère qu'il ressent l'amour que j'ai envers lui.
Maintenant l'occasion se présente et nous devons tous
Que ce ne soit que par une bonne poignée de main
Présenter envers notre père nos sentiments
D'amour et d'amitié que nous lui devons fièrement.
Il s'agirait de dire: «J'ai ben d'la fierté à t'appeler papa.»

Les paroles sont des armes

Sois prudent dans tes jugements.
Les paroles sont des armes puissantes qui peuvent faire beaucoup de mal.

Que ta langue ne ridiculise jamais personne.
Que ta grande bouche ne diminue personne.
Une parole dure, une parole vive peut brûler longtemps dans le fond du cœur, y laisser une cicatrice.
Tolère que les autres soient «autres», pensent autrement, fassent autrement, sentent autrement, parlent autrement.
Dans tes paroles sois généreux et clément.
Les paroles doivent être des «lumières».
Les paroles doivent réconcilier, rapprocher, apaiser.
Là où les paroles deviennent des «armes», on se retrouve face à face comme des ennemis.
La vie est bien trop courte et notre monde bien trop petit pour en faire un champ de bataille.

«Glanure»

Le grand tout

Je souhaiterais que mon enveloppe corporelle puisse inclure tous les horizons où il y a un coucher de soleil, tous les ciels bleus d'azur où l'astre du jour règne en maître absolu. En somme, il me faudrait être immense, démesurément immense, afin de ne rien perdre de la création. Je me sens restreint dans mon corps physique et pourtant je vibre et je communie avec l'univers à travers les phénomènes les plus simples qui sont à ma portée. C'est bizarre. C'est réfléchir en «voyant». Et si j'étais aveugle? C'est précisément pourquoi j'aimerais sentir et savoir en moi réellement toutes les merveilles de l'univers. Mais il faudrait que je sois l'univers. Devant cette impossibilité, il faut jouer parfaitement son rôle de petit tout qui, en accord avec tous les autres touts, forment le grand tout universel. C'est un peu cela, réussir sa vie.

De la sagesse

On dit parfois de quelqu'un: «Il a la manière, il a de la classe.»

On entend sans doute par là qu'il sait comment aborder les gens et les choses: joignant l'intuition à l'esprit, il a le mot qu'il faut quand il faut et, même dans les situations difficiles, détient le secret de «retomber sur ses pieds».

C'est probablement ça, la sagesse.

Voici le texte d'une merveilleuse chanson de Jean Robitaille, qui résume bien ma façon d'envisager la vie.

Quand l'amour va

Quand l'amour va, tout va, autour de nous
L'été est frais, l'hiver semble plus doux
La vie chante
Et notre monde tourne mieux
On est riche, on a de plus beaux yeux
Quand l'amour va tout va bien mieux chez-nous
Le soleil entre à plein temps de partout
L'amour chante
Et les enfants sont plus heureux
Oui tout va quand l'amour va tout va

Quand l'amour va tout vit autour de nous
La nuit s'éclaire et prend un meilleur goût
Le jour chante
Et rien ne peut cacher son bleu
Et le cœur a des bottes de cent lieues

Quand l'amour va tout vit bien mieux chez-nous
Les roses s'ouvrent
Plein janvier comme en août
Le cœur chante
Jamais le temps nous vieillira
Oui tout va, quand l'amour va tout va

Quand l'amour va
La vie chante
Et notre monde tourne mieux
On est riche on a de plus beaux yeux
Quand l'amour va
Le cœur chante
Jamais le temps nous vieillira
Oui tout va quand l'amour va tout va

Et j'y crois...

Tout dépend du cœur

Tu penses davantage avec ton cœur qu'avec ton intelligence.
Tu regardes avec ton cœur les hommes et les choses.
Tu vois tout avec ton cœur!
Tes rapports avec ton entourage dépendent de ton cœur.
Ce que ton cœur désire tu le défendras avec toute ton intelligence et toutes tes forces.
Ton cœur choisit les hommes et les choses pour lesquels tu veux vivre!
Ton cœur choisit les idées, la politique, le système pour lequel tu veux combattre!
Le cœur obscurcit ou éclaire la raison.
La règle sûre pour le cœur est: l'amour.
Si ton cœur est rempli d'égoïsme et de méfiance,
ta raison ne trouvera jamais un chemin de paix.

C’est bien là la seule explication du fiasco
de toutes les tables rondes et vertes,
des interminables discussions sur la paix dans le monde.
Les hommes ne s’aiment pas et c’est bien pourquoi ils ne seront jamais d’accord. Le seul résultat obtenu est un chancelant équilibre de pouvoirs basé sur la méfiance mutuelle.
Qu’on se taise donc sur la paix aussi longtemps qu’elle ne signifie pas plus qu’un précaire et anxieux rassemblement international dans le cratère d’un volcan, ou la cohabitation sans amour ni tendresse dans une même maison!

La paix, la joie et le bonheur dans le monde ne sont pas des affaires de la raison, mais une question du cœur!

Qu’une société se nomme chrétienne, socialiste, communiste ou maoïste, elle sera pourrie tant que le cœur de l’homme n’y sera pas sain à la racine!
La mission première pour tout homme: la culture du cœur!
Extrait de: *Aimer* de Phil Bosmans

Le mouton noir

Je ne sais même pas si tu te donneras la peine de me lire, mais je t’écris quand même.

Voilà près de deux ans que je suis dans ce centre d’accueil et que tu ne m’as pas donné de tes nouvelles ni par écrit ni de vive voix. J’ai comme l’impression que tu as honte d’être mon père, mais je me refuse à y croire. Je me demande pourquoi tu ne viens pas me voir. Tu sais bien pourtant que j’ai besoin de toi. J’ai dix-sept ans, pis après.

Tu ne me feras pas croire que c’est à cause des mauvais coups que j’ai faits que tu sembles ignorer mon existence. Justement, ces mauvais coups j’les ai faits pour attirer un peu ton attention sur moi et tu n'as pas compris. Devant le juge, tu n'as même pas ouvert la bouche pour prendre ma défense. Tu t'es contenté de secouer la tête en signe de désapprobation. Je ne t'ai jamais demandé l'impossible. Tu m'as toujours donné bien des choses sauf ce dont j'avais besoin: Ton amour. Il me semble que ce n'est pas si difficile à comprendre. En tous les cas, moi, j'te comprends pas. La bouteille m'a probablement remplacé dans ton cœur? J'ose pas y penser, ça serait trop moche de ta part.

Ici, tout va bien. Je ne manque de rien. J'ai tous les compagnons que je ne désire pas, les règlements qui interdisent tout, sauf de les observer et des éducateurs qui semblent nous chercher des «bibittes» dans la tête. Sans oublier des sports à nous écœurer, des films de 1929 et une nourriture moins que passable.

Tous les gars ont une fiche et il va s'en dire un numéro. Y paraît que les éducateurs s'y retrouvent plus vite. On est fiché pour les aspects académiques, sociaux, personnels et sportifs. La fiche c'est notre salaire de la semaine. En fin de semaine, si le total de points obtenus est trop bas, t'as pas droit à certains privilèges comme ils disent: fumer, se coucher une demi-heure plus tard et d'autres niaiseries comme celle-là. C'est très motivant et très formateur surtout que je ne fume pas...

Durant la première année, j'ai fait de mon mieux pour avoir droit à des visites et comme tu t'es abstenu, j'ai commencé à faire «niaiser» les éducateurs. Plus d'une fois j'les ai fait maudire et je continuerai car ça semble le seul moyen pour attirer l'attention. Si t'es trop «smatte» y s'occupent pas de toi et vu que tu t'occupes en masse de moi, ben j'ai pas le choix. Ils interceptent même le courrier. Ma fiche personnelle va baisser mais qu'importe. Même si elle montait, toi, tu ne te montrerais pas la face.

Il y a quatre éducateurs qui s'occupent de nous à part les spécialistes et vu qu'ils ont chacun leur façon de procéder, on se doit d'être sur nos gardes si on veut pas faire du 24 heures en cellule isolée. Mais tous les gars en font car c'est une des rares occasions d'avoir la paix et de pouvoir réfléchir tranquille. Je suis présentement en cellule isolée et c'est pourquoi j'en profite pour t'écrire.

J'veux te dire que je suis écœuré de vivre ici. Dans deux mois, j'aurai 18 ans et je sortirai enfin de ce maudit trou, mais où irai-je? Veux-tu que je continue à vivre en marge comme disent les adultes ou veux-tu que je rentre dans les rangs? Je suis bien prêt à faire mon possible pour me tailler une place dans la société mais j'aurai besoin de ton aide, de ton appui et surtout de ta présence. Sinon, sur qui veux-tu que je compte? Sur les étrangers? Non merci, j'en ai soupé! Et ne va pas me dire que tu n'en as ni le temps ni les moyens. Si tu veux pas, je m'organiserai pour entrer dans une gang. Ça s'ra ma «famille» si tu ne me donnes pas signe de vie. J'vois pas d'autres solutions. Tu continueras à avoir honte de moi et de mon côté je finirai par t'haïr une fois pour toutes.

Si t'as peur de me dire que tu m'aimes, ben moi, je n'ai pas peur de te le dire. Même que je te sauterais au cou pour t'embrasser et je sais que c'est ce que tu souhaites de ton côté mais t'es trop orgueilleux. Aime-moi et laisse-moi t'aimer! À part moi qui veux-tu aimer? Nous sommes seuls tous les deux. Sans oublier que tu n'as pas le droit de me renier.

J'pense que je t'en ai assez dit pour que tu saches à quoi t'en tenir avec moi. Je suis prêt à faire une croix sur tes «oublis» mais tu devras passer l'éponge sur mes «gaffes». Alors qu'y est encore temps, pourquoi tu ne voudrais pas essayer. Moi j'veux bien.

Si tu m'as lu jusqu'au bout, réponds-moi. Tu connais mon adresse.

Ton fils malgré tout.

Pensées

Il faut écrire le plus possible comme on parle et ne pas trop parler comme on écrit (Sainte-Beuve).

Que le soin de charmer soit votre unique affaire. Songer que l'art d'aimer, n'est que celui de plaire (Sainte-Beuve).

Il me semble que mon peu d'autorité et le peu d'attention qu'on aura pour mes opinions, me mettent en liberté de dire tout ce que je veux (Fontenelle).

Le mal se fait sans effort, naturellement par fatalité, le bien est toujours le produit d'un art (Charles Baudelaire).

Plaisir divin

Mon métier est de parler, mais mon plaisir est de vous écouter. Les mots de mon propos ne sont que des étincelles qui allumeront les bougies qui à leur tour actionneront la cordiale mécanique. C'est là que j'interviens et que j'éprouve le plaisir divin d'écouter votre voix, la voix de la vérité, de l'authenticité humaine, celle du cœur.

Je ne parle que pour mieux vous entendre, vous ne me croirez, peut-être pas, mais je vous sens là, tout près de moi, au centre gauche de ma poitrine parce que je sais que mon cœur à moi bat à notre rythme. Cela me motive, me suggère des paroles, des images que je veux les plus belles pour enjoliver notre quotidien.

Le monologue apparent, tenu à la radio, à la scène, comme à la télévision tient beaucoup plus du dialogue intérieur puisque vous vivez en moi et moi en vous.

Que les ondes positives nous enveloppent tous et qu'entre le moment où j'écris ces lignes et le moment où vous lirez ces mêmes lignes, les battements ou si vous préférez, le langage de nos cœurs n'ait eu le temps que de parler d'amour.

Si je peux

Si je peux être la cause d'un seul rayon de soleil dans la vie d'un autre.

Si je peux aider quelqu'un à mieux comprendre la vie.

Si je peux sécher, ne serait-ce qu'une larme des yeux d'un être humain.

Si je peux acheminer vers la vérité une âme perdue.

Si je peux planter au cœur du jeune confus, un sens de la justice, l'amour de la vérité et de la beauté.

Ma vie ici-bas, n'aura pas été vaine.

Si je chasse de mon esprit le doute et la crainte.

Si je peux semer et être une cause de lumière, d'espérance et de joie.

Si le long du chemin de ma vie je peux planter un arbre dans l'ombre duquel, les gens fatigués peuvent se reposer bien que je ne puisse jamais profiter de sa fraîcheur ou voir sa beauté, je serai alors très heureux, même si personne ne me connaît ou ne dépose une fleur sur ma tombe, je n'aurai pas vécu et aimé en vain, je crois.

Courrier du cœur

Si tu connais un pays où la mer et la vie sont unies, tu seras ma joie, et nous partagerons tous deux nos enthousiasmes et nos attendrissements. Une fleur sauvage attire ton regard, une longue marche à travers les campagnes te détend, une soirée au coin du feu égayée par une guitare te rend heureux, voilà que tu es de ma sorte. Le sport automobile te passionne, tu aimes pratiquer le tir à l'arc, l'équitation et le tennis, tu t'emballes à la lecture de nos auteurs, et les œuvres scientifiques suscitent ton intérêt? La musique te fait vibrer, alors tu seras mieux qu'un ami. Tu flânes dans les boutiques d'antiquités ou tu bricoles les jours de pluie, mais le soleil du printemps t'amène près du port et tu rêves de voyages à la vue des bateaux.

Physiquement, tu seras grand et mince. Tes yeux tendres et ton visage franc me maquilleront d'un sourire. Tu auras entre 24 et 35 ans, le goût de la réussite, une âme de poète, un cœur beaucoup trop grand, une profession ou un prochain brevet, et j'apprendrai près de toi comment te rendre heureux.

J'ai vécu durant 25 étés. Quant à mon aspect physique, je laisse ton imagination fertile vagabonder, peut-être découvriras-tu une jeune femme brune qui te tend la main. Je suis étudiante et je t'attends pour découvrir l'été et faire danser la vie.

SOURIS-MOI

Le bénévolat

«Prophétique et contestataire»

Le bénévolat sauvera l'humanité.

Le 6 mars 1980 son Éminence le cardinal Paul-Émile Léger déclarait devant la section de Montréal de la Société canadienne de la Croix-Rouge: «le bénévolat a, en même temps, une fonction prophétique et contestataire». Quelle vérité!

Prophétique dans le sens où l'action bénévole, qui gagne de plus en plus toutes les couches de toutes les sociétés, fait ressortir spontanément l'acuité des problèmes et de la misère humaine. En effet, seul le bénévolat correspond à ce qu'il y a de plus vertueux en l'homme. La qualité de la vie ne peut être le privilège que de quelques individus convaincus de défendre la vraie cause de l'humanité. Par leurs actions concertées, ces individus en entraîneront d'autres et toujours plus pour se retrouver enfin, une véritable armée à combattre les fléaux qui accablent la nature humaine et aussi le plus grand des malheurs, l'exploitation de l'homme par l'homme. J'y crois intensément. C'est un mouvement irréversible puisque la jeunesse contemporaine s'engage socialement dans le bénévolat, pierre angulaire de la société moderne. D'ailleurs, il n'y a pas d'autres solutions devant l'énormité de la tâche à accomplir et la complexité des relations humaines. Le bénévolat vient simplement du cœur et vit de sa propre énergie. Plus on s'y adonne et plus on veut s'y consacrer. La gratuité du bénévolat en fait une action contestataire. À l'époque de l'électronique où toute somme de travail est mesurée, en termes d'argent, seul le bénévolat constitue une force plus grande encore parce qu'il échappe fondamentalement à toutes formes de calcul.

Tout comme le cœur a ses raisons que la raison ignore, le bénévolat qui en découle naturellement rendra à l'homme futur, sa dignité suprême.

La vie est trop courte pour être petite

Cette citation parmi mes favorites est un mot de Disraeli et elle m'a aidé à traverser de bien mauvaises passes (André

Maurois, Académie française). Trop souvent, nous nous laissons agiter, troubler par de petites choses que nous devrions mépriser et oublier. Tantôt c'est un homme que nous avions soutenu et qui soudain se montre ingrat; tantôt une femme que nous croyions une amie, a dit du mal de nous; tantôt une récompense que nous pensions avoir méritée, nous échappe. Les déceptions nous touchent si profondément que nous ne pouvons plus travailler, ni dormir. N'est-ce pas absurde? Quoi, nous sommes là, sur cette terre; nous n'avons plus que quelques décades, peut-être quelques années à vivre et nous perdons des heures irremplaçables à remâcher des griefs qui dans un an, seront oubliés de nous et de tout le monde? Non vraiment, consacrons notre vie à des actions ou à des sentiments qui en valent la peine, à de grandes pensées, à des affections véritables, à des entreprises durables. Car la vie est trop courte pour être petite.

La perfection

La perfection commande à chacun de vivre le meilleur de soi-même à tous les vingt-quatre heures. Ce qui suppose une ténacité durable à recommencer les mêmes choses à chaque jour de sa vie. La persévérance donne du fini à chaque entreprise et assure la maturité d'un être. On doit aspirer à découvrir et cultiver le meilleur de soi-même et se convaincre aussi qu'à chacun appartient le pouvoir de se bâtir ou de se démolir. Les autres peuvent influencer, mais ne peuvent pas briser, chez quelqu'un d'attentif et de conscient à son être, ni l'ardeur, ni la ténacité, ni l'optimisme, ni l'enthousiasme, ni le dynamisme, ni son énergie et son courage. Chacun est maître de lui-même et peut, presque à sa guise, régler son rythme... C'est sa première responsabilité et sûrement la plus importante.

Si chacun pouvait croire à sa richesse d'être, l'humanité retrouverait son équilibre et serait indestructible. Le soir au coucher, on doit avoir assez lutté pour se dire «on ne m'a pas brisé». On n'a pas cessé de contrôler le cœur, pour qu'il évite les souffrances morales inutiles, on est en possession de sa force physique, on a qu'à bien dormir, on a conservé sa paix.

Il serait bon de faire à chaque jour, un petit inventaire et conclure, on a bien agi, on a accompli de son mieux ce que l'on avait à faire, on a bien vécu les événements, l'accueil a été surveillé et chaleureux, les pensées positives ont dominé, on a essayé de vivre le meilleur de soi. On sent que son image a été soignée, qu'elle a eu les soins qu'elle requérait.

Extrait de *Suis-je un gagnant ou un perdant?*

de Louis-Marie Parent

Pour faire naître le bonheur

Dessiner d'abord un cœur, avec une grande ouverture;
Puis dessiner au centre de celle-ci,
quelque chose de simple, quelque chose de gai, quelque chose d'aimable pour le bonheur!

Persister dans vos espoirs,
En tendant des pièges à qui ou quoi viendrait incarner le bonheur...
Mais cela sans trop déranger votre entourage.

Ne pas tuer la patience... Attendre...
Attendre, s'il le faut, toute une vie,
Ne serait-ce que pour l'instant d'un soupir de bien-être.
Le temps qu'il met à arriver.

Quand le bonheur tend à vouloir s'infiltrer à travers vos espérances,

Redoubler de vigilance!
Et surtout, oui surtout, ne pas feindre de refuser ses avances,
Le vide de son absence pouvant être mortel.

Attirer le bonheur tant bien que mal
Au creux de l'ouverture obstruée par la poussière.
Une fois son installation faite, retravailler le cœur
De façon à ce qu'il ne puisse s'en échapper.
Puis, effacer toute trace de mauvais sentiments
En ayant soin de ne toucher rien d'autre.

Faire ensuite le portrait d'un humain,
De la forme qui vous plaît,
En y insérant le cœur, de façon à égayer le visage de votre dessin.

Peindre quelques-unes de ses qualités...
Juste assez pour ne pas susciter la jalousie.
Peindre aussi la fraîcheur de son âme, les couleurs de MILLE SOLEILS.
Et la chaleur des éclats de rire sans feintes.

Si les rires se fondent en pleurs, c'est mauvais signe...
Signe que le contexte est mauvais.
Mais s'ils jaillissent de part et d'autre, c'est bon signe.
Signe que vous pouvez faire de votre projet, UNE RÉALITÉ.

Alors, vous le soumettrez à la société.
Et si elle l'accepte,
Seules quelques larmes de joie,
Suffiront à signer votre œuvre.

Tiré de la revue *Québec français*. Il s'agissait d'un concours d'expression libre chez des étudiants.

Ce texte était signé: Christianne Clough, 15 ans, polyvalente de Lévis.

Pourquoi l'humilité?

Parce qu'il se pourrait bien que la vraie richesse appartienne à la partie inconnue de notre être. Tous les biens et toutes les valeurs matériels qui nous entourent ne nous appartiennent même pas. Ce sont plutôt des outils qui, utilisés à bon escient, peuvent nous aider à nous réaliser. Je ne me vanterai jamais d'avoir une belle maison, une belle voiture, une bonne santé, un compte en banque, de bons amis, etc. parce que rien de tout cela ne m'appartient vraiment. Comme ces choses font partie de ma vie et que ma vie peut m'échapper d'un moment à l'autre sans mon plein consentement, alors quoi? Je n'ai pas les moyens d'en imposer.

Alors la seule vérité, ce qui m'appartient en propre c'est mon être, je m'appartiens donc et je peux faire de moi ce que je veux. Tout le reste est accessoire et engendre le bien-être. Attention cependant, s'il n'y a pas de mal à apprécier un certain confort, il y a danger de le confondre avec le but ultime de sa vie. Le plaisir d'être doit primer sur tout et à cette seule condition la race humaine survivra.

L'ex-voyante

Tu te souviens, tu te rappelles de la brillance de mes yeux. Depuis que l'on ne se voit plus, mes yeux ont perdu tout leur éclat. Je rayonnais par toi. Maintenant, mes yeux n'ont plus ce regard limpide qu'ils n'avaient que pour toi.

Je me sens comme les couleurs sans lumière, elles n'ont plus de vie, comme mes yeux. Je me regarde dans le miroir, et je me trouve laide et vieille, ridée, fatiguée. Près de toi, je retrouvais la fraîcheur et la beauté de mes printemps.

Rappelle-toi, tu m'as dit un jour «Il n'y a que les enfants qui peuvent avoir les yeux aussi brillants...» et tes yeux et tes paroles se sont arrêtés soudainement sur mon regard, voulant ajouter «mais il y a toujours une exception à la règle».

C'est que par mes yeux, j'essayais de te transmettre tout l'amour que j'avais et que j'ai toujours pour toi. N'as-tu pas compris tout ce que mon regard voulait te dire? Mon cher, mon tendre, mon merveilleux amour... tu me manques. Mes yeux sont tristes et ternes, ils sont depuis, plongés dans la noirceur. Ils ont besoin de lumière, de toi, de toi seul. Et tu es complexé, et tu es plein de problèmes secrets, si tu savais l'importance que tu as pour moi. Si tu avais la moindre idée de ce que tu as pu m'apporter à date, et ce que tu peux encore pour moi.

J'ai tenté de te le faire comprendre, mais ça t'a fait peur. Est-ce si effrayant un si grand amour? Pourtant, je t'aime en silence, à distance. Je ne suis pas accaparente, pas trop non!

Alors pourquoi ne pas te laisser faire? Pourquoi ne pas en profiter? Si toi et moi, on sait que notre temps est limité, alors pourquoi, pourquoi nous refuser un bonheur mérité.

Nicole, l'ex-voyante

L'amitié ingrate

Comme j'aimerais trouver un ami véritable au temps des grands malheurs.

L'ami, après tout, n'est-ce pas celui qui console, qui supporte sans mot dire, qui ne pose pas cinquante-six questions embêtantes. N'est-ce pas celui qui te prend par les épaules, appuie ta tête dans son cou et te dis: «Vas-y, pleure si tu as de la peine»!

C'est lui l'ami; vous l'avez reconnu? Bien sûr un ami c'est exactement cela. Mais un ami, c'est également celui qu'il faudra reconnaître au temps des grands bonheurs. L'ami ne doit pas être uniquement là pour alléger le fardeau de ta peine. Il ne faudrait pas l'oublier cet ami et ne pas le laisser à l'écart dans un coin à vous regarder vous enivrer de bonheur, très souvent, avec d'autres connaissances occasionnelles qui disparaîtront au premier signe de pluie. L'ami lui, sera là et vous pardonnera, trouvant même mille excuses à votre comportement parce qu'il vous aime sans retour. Non vraiment, un ami véritable peut et doit partager tout et votre malheur de votre bonheur.

Ne pratiquez pas l'amitié ingrate parce qu'un jour, l'amité en mourra et il sera trop tard.

Ton enfant te parle

Ne me gâte pas. Je sais très bien que je peux obtenir tout ce que je veux. J'essaie seulement.

N'aie pas peur d'être ferme avec moi. J'aime mieux ça: je me sens en sécurité.

Ne me laisse pas prendre de mauvaises habitudes. Je dois compter sur toi pour les détecter pendant que je suis jeune.

Ne me fais pas sentir plus petit que je suis. Cela me fait agir stupidement pour montrer que je suis grand.

Ne me corrige pas en public, si tu le peux. Je comprends beaucoup mieux quand tu parles doucement et dans l'intimité.

Ne me protège pas trop des conséquences. Je dois parfois apprendre de la façon la plus dure.

Ne me dis pas que mes erreurs sont des péchés: cela fausse mon sens des valeurs.

Ne sois pas fâché quand je te dis: je te hais. Ce n'est pas toi que je hais mais ton pouvoir de me commander.

Ne répète pas toujours la même chose. Si tu agis ainsi, je devrai me protéger en faisant la sourde oreille.

Ne fais pas de promesse que tu ne peux tenir. Je suis très déçu quand les promesses sont brisées.

N'oublie pas que je ne peux pas m'exprimer aussi bien que je le voudrais. C'est pourquoi je ne suis pas toujours très précis.

Ne discute pas trop mon honnêteté. Si tu me fais peur, je raconterai des mensonges.

Ne sois pas de ceux qui changent toujours d'idées. Je deviens confus et je perds confiance en toi.

Ne me repousse pas quand je te questionne. Si tu fais cela, je devrai trouver des réponses ailleurs.

Ne me dis pas que mes craintes sont stupides. Elles sont horriblement réelles.

Ne me dis pas que tu es parfait ou infaillible. Cela me donne un grand choc quand je découvre le contraire.

Ne crois pas qu'il est indigne de me demander pardon. Des excuses honnêtes me rapprochent de toi, tendrement.

N'oublie pas que j'aime faire des expériences. Je ne peux pas vivre sans elles. Sois patient.

Ne te préoccupe pas trop de mes petits malaises. Ils m'apportent souvent l'attention dont j'ai besoin.

N'oublie pas que je grandis rapidement.

C'est difficile de me suivre, mais ESSAIE s'il te plaît!

Pensées

Quand l'authentique vérité disparaît on s'en crée une, artificiellement en attendant le retour de la vraie parce que la vie elle-même est un éternel mouvement de va-et-vient (S.L.)

La joie est le soleil de nos cœurs qui fait éclore les fleurs de toutes les vertus.

Vaut mieux se taire et passer pour un imbécile que d'ouvrir la bouche et en donner la preuve.

Je comprends l'idée du suicide quand il y a un si grand écart entre ce que l'on aurait voulu être et ce que l'on est. Mais...

En ta présence

Un jour, mon amour passé, présent et futur, je te dirai tout. Entre autres, pourquoi je te suis reconnaissante parce que, grâce à toi j'ai eu le goût de vivre une année de plus et je souhaite maintenant une seconde année plus merveilleuse encore.

Aussi, je sais maintenant ce que cela signifie «être bien». En ta présence, je respire, je me sens libre malgré mes obligations, je ne me sens plus étouffée, oppressée ou blasée par la vie et le quotidien.

Si je suis là, près de toi, même si ce n'est que pendant de courts moments, c'est que je l'ai choisi, rien ni personne ne m'y oblige.

J'aime être à ton écoute, j'adore boire tes paroles et rester là silencieuse et attentive. Ce n'est pas donné à chacun de savoir écouter, moi je sais et j'en profite. Peut-être qu'un jour j'aurai envie de parler de moi alors je suis certaine que tu sauras toi aussi, être réceptif. Tout près de toi, sans te parler, ni même te toucher, me voilà attirée par une force étrange, par cette loi d'attraction que tu exerces sur moi. Et si tes yeux rencontrent les miens et si tes bras m'enlassent tendrement et si surtout, je te sens sincère, je me soumets captive sous ton charme. J'ai l'impression soudaine d'être avec toi, prisonnière sous un globe de verre. Je n'ai plus la notion de l'espace et des sons qui m'entourent. Le temps s'arrête avec nous, pour profiter du présent. Et je savoure ce grand bienfait mêlé de calme et d'excitation, que je voudrais éternel. Il n'y a que les vibrations de toi qui m'atteignent et je laisse nos chaleurs nous unir d'une même intensité.

Je te suis reconnaissante, mon amour, de me faire goûter à ce que l'on appelle le «Bonheur», si ce n'est pas lui, ça lui ressemble.

C'est pourquoi je pense et je dis que tu es l'homme le plus extraordinaire et le plus intéressant que je connaisse.

On aurait pu, tu sais!

On aurait pu, tu sais, finir ensemble le chemin si seulement tu avais voulu marcher en me tenant la main. On en avait tant parcouru, on en était presque à la fin.

Un geste, un mot tendre, aurait suffit pour me garder. C'est à n'y rien comprendre, au fond m'as-tu jamais aimée?

Souvent le doute m'envahit et me pose la question. Je sais, tout est fini, mais je n'en vois pas la raison. Un peu de tendresse m'aurait apporté le bonheur. Un simple geste ou une toute petite fleur. Il me fallait si peu de chose, je n'ai jamais rien exigé. Tu me faisais prendre la pose lorsque tu l'avais décidé.

Au fond, c'est sans doute mieux ainsi puisque tu sembles heureux. Mais explique-moi, je t'en prie, qu'avons-nous été nous deux? Deux inconnus, vivant ensemble durant tant d'années ne peuvent donner comme résultat que deux cœurs meurtris et fanés.

Même aujourd'hui, alors que l'âge nous interdit de penser à demain, on pourrait, tu sais, finir ensemble le voyage en se tenant par la main.

Marie-Paule D.

Bébé s'en vient!

Quelle joie de partager ces instants d'intimité intense avec toi, lorsque tu me donnes une bourrade comme après une bonne plaisanterie que nous sommes les seuls à comprendre.

Nous t'attendons impatiemment ton père et moi. Combien de temps te feras-tu attendre? Deux semaines, trois, quatre au maximum.

Si tu voyais ta chambre! Nous l'avons voulue tout de rouge et de blanc: blanc comme la pureté et l'innocence qui émane de toi et rouge comme l'amour dont nos cœurs débordent pour toi.

Ton père a fait jaillir de son cœur des milliers d'étincelles d'amour qu'il a combinées à la hâte de te voir. Avec cela, il a bâti des merveilles qu'il n'aurait fait pour personne d'autre que toi.

Et pour lui, le plus beau spectacle, c'est de te regarder faire des vagues sur mon ventre le soir avant de s'endormir. Oh! mon bébé quand tu seras là, tu verras comme nous apprendrons la vie ensemble. Je suis émerveillée quand je pense à tout ce que je redécouvrirai à travers tes yeux! Toutes ces choses que tu m'apprendras à regarder d'un œil tout neuf. Tous ces petits bonheurs que tu vas me donner et qui s'enchaîneront comme des ronds dans l'eau.

Comme je t'aime et je veux pour toi, une jeunesse remplie de sourires et de joie de vivre. Oui, de joie de vivre, car ton père et moi, nous allons tenter de te prouver que la vie vaut la peine d'être vécue jusqu'au bout.

Nous allons te prouver qu'avec la foi en la vie, tu pourras passer au travers des orages de certains jours. Et rendu au bout de ta jeunesse tu pourras te retourner et voir un bel arc-en-ciel au-dessus de ta vie.

Oui mon bébé chéri tu verras comme nous serons heureux ensemble, jusqu'au jour où tu rencontreras l'être qui t'apprendra comment l'amour devient un enfant.

Ta maman qui t'aime

Le besoin d'un contact humain

Presque tout le monde caresse les bébés. Mais il est rare que l'on aime à toucher les vieillards alors que ceux-ci en ont désespérément besoin. Car longtemps après que la vue, l'ouïe, la parole, les facultés mentales ont disparu, le sens du toucher demeure.

Ma mère semblait inconsciente quand notre médecin lui rendit visite lors de sa dernière maladie. Il souleva une de ses mains inertes et la prit dans la sienne. Doucement, il l'appela par son nom. «Si vous savez qui je suis, dit-il, pressez-moi la main.» Et, bouleversée, je vis remuer les doigts de la mourante.

Si le toucher est si important, pourquoi ne touchons-nous pas plus souvent les vieillards et les isolés? Avouons-le: les vieux yeux sont larmoyants, les vieilles mains décharnées et crochues. Une vieille peau ridée n'est pas attirante. Et pourtant...

«Je me sens si seule. Tenez-moi la main», m'a dit une vieille. N'exprimait-elle pas ainsi, en notre nom à tous, l'infini besoin que nous avons d'un contact bienveillant?

«Glanure»

L'organigramme universel

Tout s'achète, tout se vend, tout s'échange dans la vie, sauf son être à soi. On naît et on meurt avec soi-même, sans jamais avoir pu changer de peau... ou si peu.

Alors, c'est cela le but ultime, l'essentiel. Prenons-en grand soin. Dans le monde entier partout où il y a un être humain, il y a une vraie correspondance c'est-à-dire au bon niveau. Toutes les choses de l'existence, à commencer par l'argent, doivent être au service de la réalisation humaine. Force nous est, de respecter l'organigramme très harmonieux de l'univers et de ne pas discuter politique avec son chien, sauf évidemment dans un contexte humoristique. Vous me suivez?

Bonne et heureuse année

À tous ceux qui n'ont rien dans les bras
que les battements tristes et gratuits

dont les yeux brillent de toutes les larmes retenues,
dont le front résonne de coups atroces et silencieux,
dont les paroles ne traduisent plus les pensées,
parce que ces pensées sont douloureuses.

À tous ceux dont les actes ne sont plus que des symboles,
dont les attitudes sont pétries de courage,
qui redressent le dos pour cacher leur peine,
qui marchent seuls pour marcher droit, mais qui marchent.

À tous les humains brisés,
à tous ceux qui ne font pas ce qu'ils aiment
et à tous ceux qui aiment ce qu'ils ne disent pas,
à tous ceux que vous frôlez, le sachant bien
et à tous ceux qui vous frôlent, ne le sachant pas,
à tous ceux qui portent en eux, blessure vraie,
un immense néant fait de tous les arrachements.

À ceux dont c'est la dernière, et qui s'en doutent,
et à ceux dont c'est la dernière, et qui ne s'en doutent pas,
à ceux qui n'ont pas la force d'y penser
et à ceux qui n'ont pas la faiblesse de l'avouer,
à ceux qui n'osent pas vous regarder parce que leurs regards,
peut-être, les trahiraient et qu'ils veulent garder
pour eux seuls
leur terrible secret.

À ceux qui sourient pour voiler le chagrin de leur âme,
badinent pour masquer la grimace de leur cœur,
crient pour taire la panique de leurs yeux,
jouent la comédie pour ne pas assombrir des vies.

À certains heureux aussi que j'oubliais...
à ceux qui portent leur tête, leur cœur et leur âme
aussi légèrement qu'un poids d'hélium.

À ceux que le plaisir égare
et dont le sang charie tout d'idéal,
car pour eux suffit l'apparence charnelle de la vie.

Bonne et heureuse année, enfin,
à ceux qui possèdent le détachement de l'esprit

et à ceux qui soignent les corps ou les âmes
à ceux dont le cœur bat généreusement
et à ceux qui luttant pour la justice, veulent établir le règne de la paix;
à tous ceux qui comprennent et pardonnent
et à tous ceux qui sont purs dans leurs pensées et leurs amours
bonne et heureuse année à vous tous
qui donnez un sens divin à l'humanité.

A.G.
(auditeur)

Surprise

Bonjour Serge, c'est Danièle, ta compagne de travail. Je te surprends peut-être, mais voilà que j'ai décidé ce matin de faire le moment tendre à ta place. Et oui, au nom de toutes tes auditrices, j'ai pensé que puisque c'est toujours toi qui nous fais «le moment tendre» à tous les matins, aujourd'hui exceptionnellement, je pourrais peut-être prendre ta place. Tu te doutes bien pourquoi Serge? Non? Tu sais, un anniversaire de naissance ça ne doit pas passer sous silence et surtout pas le tien. Bien que ton anniversaire soit demain, je te demande seulement un petit deux minutes, pendant lequel ta modestie en prendra peut-être pour son rhume. Mais nous, on va en profiter pour te dire ce que l'on pense de toi et te parler un peu d'amour.

Après avoir fait une petite enquête auprès des gens qui te connaissent au travail, auprès de certaines de tes auditrices, auprès d'amis personnels, voici brièvement ce qu'on a dit de toi:

Serge Laprade, ah! ça c'est un bon gars!
J'adore travailler avec lui, c'est un vrai professionnel!

Monsieur Laprade, comme il a donc l'air propre et distingué!

Serge c'est le plus bel homme que je connaisse!

Serge Laprade, moi je l'écoute tous les matins, comme il sait donc bien parler aux femmes!

Serge Laprade, c'est un gars exceptionnel!

Comme tu peux le remarquer mon ami, on pense beaucoup de bien de toi.

Je tiens cependant à émettre une petite touche personnelle et te dire à quel point tu es cher à nous toutes. On t'entend tous les jours et tu as toujours pour chacune de nous un sourire, une parole douce et gentille, un regard tendre et affectueux. En somme Serge, on veut te dire que l'on t'aime beaucoup et qu'on espère te garder bien longtemps avec nous tous les matins pour ainsi ensoleiller notre journée.

En terminant Serge, en souvenir du 4 décembre, date où plusieurs d'entre nous étaient à la Place des arts pour t'applaudir, t'appuyer et te faire sentir à quel point on t'apprécie, je t'embrasse bien fort pour nous toutes et surtout pour tes chères auditrices. Je te souhaite le plus bel anniversaire qui soit et je te dis que tu es notre Goéland qu'on aime tant.

BONNE FÊTE SERGE, de Danièle L. (C.K.A.C.)
(Anniversaire 13 janvier 1979)

... 16 mai 1980... Il était une fois...

Un bateau nommé Perle Blanche

Je suis seule ce soir à Montréal, car mon époux couche au bateau. Il a assisté *Perle blanche* dans l'opération de la mise à l'eau. Il s'y est rendu ce midi. Des fois, ça peut prendre une journée complète avant d'être lancée. C'est un peu comme un accouchement.

Tout d'abord, il faut commencer par préparer la «patiente», ce que nous faisons depuis quinze jours. Puis vient le jour tant attendu... Après plusieurs jours d'effort et de travail, elle est prête. Prête pour vendredi, 16 mai, aux environs de 3 heures de l'après-midi.

Dans son «garage à trois lits»... elle attend patiemment à côté de ses compagnes, que la civière vienne la chercher, mais elle n'est pas la seule à vouloir VIVRE À L'EAU. Il faut que le grand spécialiste de ces manœuvres soit disponible et, en attendant... son capitaine, comme un amant fidèle, doit veiller auprès d'elle; il en profite pour lui faire sa dernière grande toilette.

Elle retarde un peu... il est 5 heures et rien ne s'est encore passé. Elle ne gémit pas, mais son capitaine commence à s'impatienter. Enfin... vers 6.30 heures, le grand et haut chariot recule lentement devant la porte du garage et commence la délicate manœuvre qui la conduira vers le rivage. On lui glisse délicatement sous les flancs, de très larges et solides courroies, en ayant grand soin de ne pas la blesser. Une fois bien attachée, un moteur hydraulique soulève la *Perle* de son lit d'hiver... Et ainsi, elle est tirée par un tracteur et libérée de son quartier d'hiver, chambre morne, froide et humide, sans soleil et sans vie. L'air lui manque... L'EAU surtout lui manque.

Tout doucement, on la conduit au bord de l'eau à travers les nombreux autres bateaux «en attente»... ou «en travail» qui la regardent passer avec envie. Pour elle, l'heure est arrivée. Quel soulagement. Elle sent qu'elle pourra enfin recommencer à VIVRE et à procurer joie et détente à ses futurs passagers.

Une fois au-dessus de l'eau, on redescend graduellement et sans choc, la patiente. Lorsque son ventre est dans l'eau, il faut demander un autre spécialiste à son secours, car ce n'est pas tout d'être dans l'eau, il faut que son «cœur» batte. Tout comme un nouveau-né, elle doit maintenant recevoir le choc de vie, la CLAQUE! Pour cela, on lui installe ses batteries (qui avaient été hivernées aussi). On branche le courant. On part les moteurs (car elle a deux cœurs... c'est plus pratique...) Ils tournent rond. L'électro ne montre aucun signe de défaillance.

Respiration:	elle n'étouffe pas
Élimination:	le rejet d'eau se fait bien à l'arrière
Température:	à la normale
Digestion:	elle ingurgite bien sa gazoline (trop! à notr'-goût!)
Cœur:	en excellente condition
Apparence:	soignée

Elle vient de recevoir l'approbation de son «capitaine» de couper le cordon ombilical, c'est-à-dire de détacher les courroies qui la soutenaient encore.

Elle flotte, elle berce... elle danse sur les vagues...

Elle est LIBRE! (et nous aussi)...

File mon vieux bateau... file mon bel oiseau... bientôt tu nous emmèneras vers les lointains rivages...

Yolande B.

Hommage à Roger Baulu

On l'appelle toujours le Prince des annonceurs. Je sais, ça le fait bien sourire, mais il mérite son titre d'emblée.

Il exerce son métier très consciencieusement et avec une grande classe.

Sympathique à tout le monde, on ne lui connaît pas d'ennemis. C'est un Monsieur qui poursuit une carrière on ne peut plus honnête et constante. On a comme l'impression que

Roger Baulu a toujours été là, populaire, actif, aimé de tous et surtout qu'il sera toujours là.

Roger Baulu pour moi, c'est une institution, un monument. C'est lui qui a donné ses lettres de créances aux fonctions d'annonceur et d'animateur. Il a réussi à être une grande vedette, seulement avec sa voix, son débit, sa technique du micro et Jacques Normand aurait ajouté: «Il ne faudrait surtout pas oublier son nez» (geste à l'appui).

Il est, même avec cette notoriété, le premier à venir vous féliciter pour un succès. Il aime qu'on exerce bien ce métier qu'il adore.

On a l'impression que la jalousie, sentiment rongeur de la condition humaine et combien présent dans ce métier, est rayée de son vocabulaire et de son être.

Il a tout fait dans ce métier monsieur Baulu, mais rarement ce qui n'était pas à faire ou alors, lui seul le sait. C'est, comme on pourrait dire, une carrière très réussie qui devrait encore de nos jours servir d'exemple à ceux qui veulent embrasser cette vie et pourquoi pas, à ceux qui présentement pensent bien exercer ce métier.

Ce simple texte d'anniversaire se voulait un hommage à un homme et à sa carrière dont l'exemple est présent à mon esprit, chaque jour.

28 février 1979
Serge L.

La jeunesse

La jeunesse n'est pas une période de la vie,
elle est un état d'esprit, un effet de la volonté,

une intensité émotive, une victoire du courage sur la timidité, du goût de l'aventure sur l'amour du confort.

On ne devient pas vieux pour avoir vécu un certain nombre d'années; on devient vieux parce qu'on a déserté son idéal. Les années rident la peau, renoncer à son idéal ride l'âme. Les préoccupations, les doutes, les craintes et les désespoirs, sont les ennemis qui lentement nous font pencher vers la terre et devenir poussière avant la mort.

Jeune est celui qui s'étonne et s'émerveille.
Il demande comme l'enfant insatiable: et après? Il défie les événements et trouve de la joie au jeu de la vie.

Vous êtes aussi jeune que votre foi, aussi vieux que votre doute, aussi jeune que votre confiance en vous-même, aussi jeune que votre espoir, aussi vieux que votre abattement.

Vous resterez jeune tant que vous resterez réceptif: réceptif à ce qui est beau, bon et grand; réceptif aux messages de la nature et de l'infini.

Si un jour votre cœur allait être mordu par le pessimisme et rongé par le cynisme, puisse Dieu avoir pitié de votre âme de vieillard.

Général Mac Arthur (héros de la Deuxième Guerre mondiale).

Pensées

Une fille prévenue est à moitié séduite (Alain-René Lesage).

Toute chose appartient à qui sait en jouir (André Gide).

C'est avec des adolescents qui durent un assez grand nombre d'années que la vie fait ses vieillards (Marcel Proust).

Le vice, c'est le mal qu'on fait sans plaisir (Colette).

Mon Credo

Va, reste calme au milieu du bruit et de l'impatience et souviens-toi de la paix qui découle du silence.

Si tu peux, mais sans renoncement, sois en bons termes avec tout le monde; dis tout ce que tu penses, clairement, simplement; écoute les autres même les sots et les ignorants, car eux aussi ont quelque chose à dire.

Évite les gens grossiers et violents car ils ne sont que tourments pour l'esprit.

Si tu te compares aux autres, tu pourras devenir vaniteux ou amer; mais sache qu'ici-bas, il y aura toujours quelqu'un de plus grand ou de plus petit que toi.

Sois fier de ce que tu as fait et de ce que tu veux faire. Aime ton métier, même s'il est humble; c'est un bien précieux en notre époque troublée. Sois prudent dans le monde des affaires, car on pourrait te jouer de vilains tours. Mais que ceci ne te rende pas aveugle; bien des gens luttent pour un idéal et partout sur la terre on meurt pour ce que l'on croit.

Sois toi-même, surtout dans tes affections. Fuis le cynisme en amour, car il est un signe de sécheresse de cœur et de désenchantement.

Que l'âge t'apporte la sagesse et te donne la joie d'avoir des jeunes autour de toi. Sois fort pour faire face aux malheurs de la vie; mais ne te détruis pas avec ton imagination; bien des peurs prennent naissance dans la fatigue et la solitude. Et malgré la discipline que tu t'imposes, sois bon envers toi-même.

Tu es un enfant de l'univers, tout comme les arbres et les étoiles et tu as le droit d'être ici: et même si cela n'est pas clair en toi, tu dois être sûr que tout se passe dans l'univers comme c'est écrit. Par conséquent, sois en paix avec ton Dieu quelle que soit en toi son image, et à travers ton travail et tes aspirations, au milieu de la confusion de la vie, sois en paix avec ton âme.

Dis-toi qu'en dépit de ses faussetés, de ses ingratitudes, de ses rêves brisés, «le monde est tout de même merveilleux».

Sois prudent. Et tâche d'être heureux.

Auteur inconnu

Le mystérieux équilibre moral

Tout être humain, sans exception, doit apprendre à se repentir. Commencez donc, en analysant sincèrement votre vie passée, par estimer le nombre de fois où vous avez émis des jugements sévères, prononcé des paroles dures ou joué des coudes aux dépens d'un ami. Comptez ensuite le nombre de fois où vous avez clairement et nettement manifesté le regret. C'est assez consternant n'est-ce-pas? Si vous êtes consterné, c'est qu'une certaine sagesse intime, présente en chacun, nous avertit que tout préjudice, même minime, causé à autrui rompt un mystérieux équilibre moral que seules la prise de conscience de notre faute et l'expression de notre regret pourront rétablir.

Si tu étais là

Si tu étais là, mon amour, que de choses je te dirais. Probablement qu'encore une fois, tous ces mots resteraient au fond de mon cœur, incapables d'en sortir. Pourquoi est-ce si difficile de s'ouvrir, de se livrer, de traduire ses sentiments en paroles? Toi qui as beaucoup de vocabulaire, qui as de la facilité à t'exprimer, tu en sais quelque chose, je crois, quand il s'agit de sentiments. Donc je crois que tu saurais me comprendre. C'est tellement plus facile par des regards, par des gestes qu'on s'y laisse aller, mais pourtant cela ne nous suffit pas.

Si tu étais là, mon chéri, moi qui ai osé te demander d'être authentique, vrai, je tenterais de t'expliquer mes réactions contradictoires à certains moments.

Si tu étais là, ma vie, je te dirais pourquoi alors que je voudrais m'abandonner, je me tiens sur la défensive, pourquoi lorsque tu me poses des questions directes, je te réponds le contraire de ma pensée; pourquoi lorsque tu essaies un rapprochement, je te repousse froidement.

Si tu étais là, toi, mais seulement à toi, je te dirais pourquoi j'agis ainsi. Parce qu'en vérité, j'ai trop à t'offrir et je ne sais pas comment m'y prendre. Je voudrais tout te donner de moi mais sans me perdre.

Je souhaiterais te dire tout ça mais comment faut-il faire? Comment?

La surfemme

Depuis bientôt un an, il m'a été donné de constater à quel point une épouse, mère de famille avait la patience d'un ange...

et de fait, ne l'est-elle pas un peu? Il faut presque être surhumain pour survivre à un tel régime.

Debout tôt le matin, c'est la toilette et le déjeuner du petit, ce qui n'est pas une mince affaire. Il est en forme, lui, il ne se souvient même plus s'être réveillé trois fois la nuit dernière et il se sent prêt à affronter la journée... et sa mère. Viennent ensuite la lessive, le repassage, la couture, la vaisselle, le ménage, les repas, les courses et le plus essouflant: s'occuper du petit.

> Mais pourquoi pleures-tu? Je ne peux t'avoir toujours dans les bras! Regarde le beau toutou! Pourquoi ne joues-tu pas avec tes jouets? Laisse cette plante! Tu vas la recevoir sur la... trop tard! Viens que je te console... Mais cesse de tout jeter par terre! Ça suffit! Si ton père peut arriver qu'il s'occupe un peu de toi, lui aussi...

Puis arrive le père, triomphant, insouciant, après ce qu'il croit être une «dure» journée de travail. S'écrasant devant son souper fumant, le champ de bataille étant redevenu un peu plus calme, il s'enquiert, magnanime, des faits de la «petite journée de sa femme». Ne parvenant plus à se contenir, la maman éclate:

— Tu sais ce qu'il a fait, aujourd'hui?
— Euh... qui?
— Ton gars!
— Ben... non...
— Il a marché tout seul!
— Déjà!

Eh! oui, déjà, bien que cela fasse douze mois que le petit bonhomme soit là... que cela fasse douze mois que la maman se lève toutes les nuits, tous les matins... et qu'elle veille sur lui avec tout son amour sans rien demander qu'une caresse de ses petits bras autour de son cou.

Dites-mois, vous croyez vraiment que les mamans sont humaines? Moi, je me demande...

Réjean B.

Une peine d'amour en hiver

Une peine d'amour en hiver
C'est ben pire qu'en été
Y a tant de neige dehors à soir
Ça m'donne pas le goût de sortir
Puis la neige qu'est-ce que ça peut cacher
Le bel été dernier, l'automne passé
Mais ça abrille pas ton mal pis tes souvenirs
Tu restes toute seule dans ton petit coin
Tu t'intéresses plus à rien.

Quand t'as une peine d'amour en hiver
Tu prends un coup devant ta télé
Le cognac ça réussit à étourdir
Mais ça donne aussi le goût de pleurer
Au moins ça t'aide à t'endormir
Une peine d'amour en hiver
Ça veut dire que tu n'as plus l'être cher
À réchauffer quand dehors tout est givré
Il te reste la radio pis le téléphone
Pour te tenir compagnie
Des chansons tristes, des chansons le fun...
T'en pleures ben plus que t'en ris
Pis si tu entends le téléphone
Tu te mets à espérer
Ton cœur devient tout exciter

Une peine d'amour en hiver
C'est ben pire qu'en été

On dirait que ça fait exprès
Quant t'écoutes la radio
L'animateur a toujours les mots
Pour te mettre la larme à l'œil.
On dirait qu'il sait puis qu'il fait exprès
Parce que t'es en deuil.

Une peine d'amour en hiver
C'est ben plus dur à guérir
C'est pas facile d'en sortir
On pense comme un grand malade
«J'pense que j'passerai pas l'hiver».

Mais mon Dieu, tu es bon pour moi
Il me reste la vie
Toute la vie
Pour oublier et recommencer.

Monique

Mon ami l'handicapé

Je porte à votre attention un texte de Michel Dubost que je dédie à mes amis atteints de paralysie cérébrale... ou autre. TOI... PAUL...

Encore une fois, encore une fois, j'ai regardé ce paysage, ce bouquet de peupliers dans lequel, seule, une feuille reste accrochée et ce bruit de l'eau, celui de la rivière et celui du ruisseau, le ciel doux, le bonheur qui naît.

Encore une fois, par la fenêtre, j'ai regardé ce paysage, mais pour la première fois, je me dis que je l'aime. Et toi, Paul, encore une fois je vois ton visage, tes yeux trop grands, tes yeux étonnés, et ton sourire. Ils l'appellent innocent. Ta tête penchée, ta main déformée, ta voix arrêtée par je ne sais quelle angoisse. Et, pour la première fois, j'ai envie de t'embrasser, vraiment.

Je me souviens du moment où tu es arrivé, sur ta petite voiture. Pendant longtemps j'ai eu peur de toi; chaque respiration, chaque appel soulevait en moi la crainte. Alors je me suis lancé au travail. Je voulais tout faire pour que tu sois heureux. Tout. Je le voulais parce que je le devais. Le devoir! J'avais été élevé comme cela. Il faut, me disait ma mère. Il faut, me disait ma conscience, il faut, me disait la vie. Et je faisais, vite, net, précis. Je ne savais pas que c'était pour me débarrasser. J'arrivais même quelquefois à être heureux: c'était le sentiment du devoir accompli.

Mais pas avec toi, Paul. Avec toi, je n'étais jamais satisfait. On a beau faire, tu ne marcheras jamais. On a beau vouloir et s'agiter, tu ne parleras jamais clairement. Je croyais avoir peur de toi, peut-être d'une éventuelle contagion... mais j'avais peur de moi. Du silence. De ne rien avoir à faire. Et un jour tu m'as souri, d'un sourire que je n'oublierai pas. Si tu l'avais pu, tu m'aurais tendu la main. Peu à peu ce sourire — ton sourire — ils l'appellent innocent — m'a ouvert au monde, à la réalité, à l'amitié.

Petit à petit, j'ai pris l'habitude de laisser se reposer mon crayon ou ma machine... et je suis venu là, dans ta chambre, te rencontrer. Je suis devenu moins efficace et ne sais plus très bien ce qu'il faut faire. Ma conscience a appris à me laisser en paix, même lorsque ta pièce n'est pas tout à fait en ordre.

Je viens maintenant moins souvent, et n'ai plus rien à t'offrir... J'ai simplement BESOIN DE TON SOURIRE, de ton amitié. Tu étais anormal, à mes yeux... Je ne sais plus si tu l'es. Mais tu m'as fait découvrir le monde, que je ne connaissais pas. J'étais mutilé car je ne voyais pas le paysage et ne savais pas la musique de l'eau. J'étais mutilé et ne le savais pas. Mutilé du cœur...

Encore une fois je regarde ce paysage, le bouquet de peupliers, dans lequel seule une feuille reste accrochée, et ce bruit de l'eau, celui de la rivière et celui du ruisseau, le bonheur qui naît. Encore une fois, je regarde ton visage, tes yeux trop grands, tes yeux étonnés et ton sourire! Ils l'appellent innocent! Et pourtant... il est fort. Fort comme la faiblesse qui appelle, la flamme hésitante que protège la main, fort comme la peur qui s'en va.

Paul! MERCI!

Les époux, les amants

Ce qui m'a longtemps abusée et qui peut-être nous abuse encore, c'est la pensée que l'amour est nécessaire pour former un heureux mariage. Mon ami, c'est une erreur; l'honnêteté, la vertu de certaines convenances, moins de conditions et d'âges que de caractères et d'humeurs suffisent entre deux époux, ce qui n'empêche point qu'il ne résulte de cette union, un attachement très tendre qui pour n'être pas précisément de l'amour n'en est que plus durable et pas moins doux.

L'amour est accompagné d'une inquiétude continuelle de jalousie ou de privation peu convenable au mariage qui est un état de jouissance et de paix. On ne s'épouse point pour penser uniquement l'un à l'autre, mais pour remplir conjointement les devoirs de la vie civile, gouverner prudemment la maison, bien élever ses enfants.

Les amants ne voient jamais qu'eux, ne s'occupent incessamment que d'eux et la seule chose qu'ils sachent faire, est de s'aimer. Ce n'est pas assez pour des époux qui ont tant d'autres devoirs à remplir.

Il n'y a point de passion qui nous fasse une si forte illusion que l'amour; on prend sa violence pour un signe de sa durée; le cœur surchargé d'un sentiment si doux, l'étend pour ainsi dire sur l'avenir et tant que cet amour dure, on croit qu'il ne finira point, mais au contraire, c'est son ardeur même qui le consume. Il s'use avec la jeunesse, il s'efface avec la beauté et s'éteint sous les glaces de l'âge.

Micheline T.

Les deux solitudes

Il y a, d'après moi, deux solitudes. Pas celles que vous croyez; pas une française et une anglaise, oh non!

La solitude positive et la solitude négative.

Attaquons-nous d'abord à la solitude négative et gardons les belles choses pour la fin.

Ce vide, pour ne pas dire ce néant qui est en vous et qui fait de vous, une personne apparemment heureuse, mais foncièrement malheureuse, c'est ça qu'on identifie comme la solitude négative. C'est elle qu'il faut dénoncer. Peut-être avez-vous inconsciemment peur de vous regarder franchement, de prendre quelques minutes de votre temps et d'établir un dialogue avec votre «moi-même».

Vous vous videz à vous éviter, donc à sortir dans le monde, à rencontrer des connaissances, à vous étourdir de toutes les manières et vous avez forcément l'illusion de n'être jamais seul. Physiquement, cela est vrai, mais moralement vous vous faites un tort irréparable. Personne n'est plus seul qu'un individu qui oublie de se retrouver seul, face à lui-même, de temps à autre. Cette solitude négative loin de vous enrichir, de vous embellir, de vous rendre unique, vous dilue, vous égalise et finalement vous fait disparaître dans l'uniformité morose des vies manquées.

Mais alors, si vous savez plutôt provoquer un coin de solitude dans votre journée, juste le temps de vous dire «alors, est-ce que ça va? Ce que je viens de faire est-il en harmonie avec ce qui va suivre? Mon cœur a-t-il eu l'occasion de s'exprimer aujourd'hui?»

Ces simples questions auxquelles vous aurez intérieurement apporté des réponses, vous feront accomplir des pas de géant dans votre réalisation. Car c'est bien cela l'ultime but de notre passage sur cette terre: *réussir sa vie.*

Vous aurez mis de la beauté et dans la personne que vous êtes et dans la personne que vous auriez dû être. Un sain équilibre moral s'installera chez le «moi» que l'on voit et chez celui que l'on devine. Vos yeux, votre bouche, tous vos traits traduiront cette quiétude, cette sûreté acquise, grâce à la solitude positive. Sachez vous retrouver pour mieux vous ressourcer et cela, le plus souvent possible. Cela s'apprend.

Et comme disait Alain Barrière dans sa chanson «Séduction 13»: «Si la première fois tu ne réussis pas, il faut essayer une seconde fois, si la seconde fois tu ne réussis pas, il faut essayer...»

Le déraciné

Un enfant se demande pourquoi son père n'était jamais à la maison, ne voulant jamais jouer avec lui, ne lui parlait pas.

Un enfant se demande pourquoi sa mère était triste, pourquoi elle se fâchait fort contre lui et ensuite pleurait.

Un enfant se demande pourquoi son père et sa mère se parlaient fort, se querellaient souvent et un jour, ont commencé à dire qu'ils ne pouvaient plus vivre ensemble.

Un enfant se demande quoi faire pour que son père lui parle, pour que sa mère soit joyeuse, pour que son père et sa mère cessent leurs disputes.

Un enfant se demande pourquoi son père est parti et l'a laissé seul avec sa mère et sa sœur ou ses frères (ou vice versa), il ne sait pas comment dire qu'il s'ennuie beaucoup, qu'il veut voir son père, qu'il y pense même à l'école et, la nuit, quand il ne dort pas.

Un enfant se demande pourquoi un jour un jeune homme ou une demoiselle sont venus voir sa mère qui semblait fatiguée et qui demandait de le prendre lui.

Un enfant se demande pourquoi la personne du Service social lui a parlé d'aller vivre dans une autre famille.

Un enfant se demande pourquoi il est dans une autre famille avec un monsieur et une madame qui sont gentils mais qu'il ne connaît pas encore beaucoup.

Un enfant se demande pourquoi il a de nouveaux frères et de nouvelles sœurs et qu'il n'a pas son frère et sa sœur à lui.

Un enfant se demande ce qui arrive à sa mère, à son frère et à sa sœur... et à son père parti, et quand il va les revoir...

Un enfant se demande pourquoi il y a de ça deux, cinq, dix ans, cette famille l'a accueilli comme un fils de la maison, lui, un étranger.

Pensées

Ne sortez pas de vous-même et vous serez heureux (Jean-Baptiste Massillon).

J'admire le train de la vie humaine: nous plumons une coquette; la coquette mange un homme d'affaires; l'homme d'affaires en pille d'autres; cela fait un ricochet de fourberies le plus plaisant du monde (Alain-René Lesage).

Le sentiment enseigne bien mieux si l'ouvrage touche que toutes les dissertations composées par les critiques (Jean-Baptiste Dubos).

Parce que le beau est toujours étonnant; il serait absurde de supposer que ce qui est étonnant est toujours beau (Charles Beaudelaire).

Les mots d'amour

Écoute!... Les entends-tu?... Les entends-tu les mots d'amour?...

Des mots si simples qu'ils tiennent dans toutes les chansons du monde. D'abord, on les apprend sans y penser. Ils sont faciles à retenir. Et puis on les oublie. Pas vraiment, mais c'est comme si.

Jusqu'au jour où on aime pour la première fois. Alors ils se bousculent à la sortie, pêle-mêle. On voudrait les retenir: «Pas si vite!» Mais ils s'échappent à bout portant et on se demande: «Est-ce moi qui ai dit ça?» On les contemple, on les retourne sans trop y croire, comme la monnaie d'un pays lointain.

Écoute!... Les entends-tu les mots d'amour?...

Les mots qu'on dit quand on a enfin trouvé. Quand c'est pour toujours. On est déjà plus à l'aise avec eux et on sait l'effet qu'ils font. On s'en sert pour donner. On s'en sert pour prendre. On en abuse. Jusqu'à ce que l'habitude les use. Et puis on les oublie. Pas vraiment, mais c'est comme si.

Les entends-tu les mots d'amour?

Ceux qu'on retient parce qu'on n'aime plus. Ceux qui sonnent creux parce qu'on n'est plus aimé. Des mots qui ont perdu leur chanson. On voudrait les oublier... On les oublie. Enfin, pas vraiment... Mais c'est comme si.

Les entends-tu?...

Des mots auxquels on n'osait plus penser. Les voilà tout d'un coup qui reviennent sans prévenir, comme une grande bouffée d'air. On voudrait les retenir: «pas si vite!» Mais ils s'échappent à bout portant et on se demande: «Est-ce moi qui ait dit ça?»

Extrait du spectacle de la Place des arts — décembre 1978.

La pleine lune

La pleine lune peut avoir des effets bienfaisants et dangereux. Il faut accueillir ces ondes sans fard, sans «béquille» et sans artifice. Aucune drogue ne peut rivaliser avec les effets de la pleine lune. Profitez-en pour cesser de fumer et pratiquer le jeûne partiel ou total. Libérez-vous de vos esclavages afin qu'il n'y ait pas d'entraves à la cure. Laissez alors, la pleine lune vous pénétrer et agir sur vous.

La chance vous sourira, si vous êtes réceptif. Vous devez vous appartenir pleinement et profitez de cette occasion de possession entière pour poser des gestes positifs. Aller vers quelqu'un, envers qui vous vous étiez juré de ne pas faire le premier pas. Prenez des risques calculés, de bons risques. En somme donnez la chance aux effets cosmiques de la pleine lune de vous utiliser comme n'importe quel élément de la nature; les animaux, les arbres, la mer.

Ne vous préoccupez pas trop du résultat, le plan global de la nature ne peut vous faire de mal.

Laissez-vous libre pour une fois, abandonnez-vous à la pleine lune et faites le plein d'énergie.

Lettre à maman

Chère maman,

Je n'ai pas hâte d'être une grande personne... Parce que, une fois que les petits sont devenus grands, ils sont toujours occupés et ils font bien moins d'exercice.

Pourquoi t'as jamais le temps de venir avec moi dehors? Tu dis toujours que c'est bon pour ma santé de faire des activités physiques, de jouer dehors avec mes amis, de courir... quoi c'est pas bon pour la tienne ta santé? Peut-être que si tu venais prendre une marche avec moi, le soir avant que je me couche, tu dormirais mieux, toi aussi.

Tu sais, l'automne arrive... si on faisait un peu de bicyclette ensemble, si on jouait au ballon, si on allait courir au parc, peut-être que tu rirais encore plus souvent, que tu aurais bien plus d'entrain. T'es si belle quand tu souris maman!

Quand tu parles un peu fort, c'est peut-être parce que tu es fatiguée de travailler. Il n'y a pas que les enfants qui doivent s'occuper de leur santé. Les grandes personnes aussi!

J'ai une idée! À partir d'aujourd'hui, puis tous les jours, tu vas t'arranger pour prendre du temps et t'occuper de toi. Tu verras, tu vas devenir en forme comme moi. Tu vas dormir mieux, respirer plus facilement, sourire encore plus, être reposée et tout le monde va t'aimer davantage. Maintenant, quand je vais te dire «VA JOUER DEHORS» tu vas savoir que c'est parce que je t'aime beaucoup.

TON ENFANT QUI T'AIME

Poèmes pour ton anniversaire

J'AIMERAIS!

Oh! que j'aimerais être l'amour
Ce grand, beau et tendre sentiment
Puisque enfin et pour toujours
Tu serais mon prince charmant

J'aimerais!

Oui j'aimerais être la vie
Celle dont tu es choyé
Que tu aimes et apprécies
Que toujours tu veux garder

J'aimerais!

J'aimerais même être la mort
Ultime voyage, fait acquis
Puisque celle-ci sans effort
Un jour t'aura conquis

J'aimerais!

J'aimerais tant être tout cela
Et pourtant je suis bien peu
Cœur tendre, fidèle et aimant
Rêvant d'une solitude à deux

J'aimerais être chanson, micro, bague, oiseau.

J'aimerais être ces chansons
Qui farandolent dans ta tête
Pour qu'elles te chantent à l'unisson
Combien tu rends mon cœur en fête

J'aimerais être ces multiples micros
Sur lesquels tes mains se posent
Et alors peu importe ton numéro
Tes moindres paroles deviendraient roses

J'aimerais être cette bague
Qu'à l'un de tes doigts tu portes
Alors tout comme une vague
Je deviendrais ta fidèle escorte

J'aimerais être cet oiseau
Que tu envies malgré toi
Nous irions toujours plus haut
Je serais ton guide, toi mon roi

13 janvier 1979
à Serge de Francine B.

Ta forme de vie est supérieure et cosmiquement parfaite

Au crépuscule de mes trente ans ou si vous préférez à l'aube de ma quarantième année, je veux établir un rapport essentiellement humanisant avec tous ceux qui savent que j'existe et tous ceux qui l'apprendront. En effet, l'humanisme n'a pas de fin, tant qu'il y aura des êtres humains tels que nous les concevons. Autrement il faudrait dire: «L'univers n'a pas de fin... peu importe sa composition et ses formes de vie.»

J'aime ma forme de vie parce qu'elle est supérieure et cosmiquement parfaite. Mais, comme elle nous est prêtée en pièces détachées, il s'agit d'en chercher les morceaux manquants tout au long de son existence comme on le ferait pour la recherche du bonheur. C'est comme un jeu emprunté que l'on doit remettre avec tous ses morceaux au propriétaire une fois qu'on l'a réussi. Sauf que tant de facteurs peuvent nous faire abandonner la partie avant la fin... heureusement il y a la persévérance, cette fidèle déléguée de l'espoir.

Inquiétude

Il fait mauvais temps. Cet hiver n'en finira donc jamais. Le vent ne cesse de souffler en rafale et je suis malade d'inquiétude.

Eh oui! encore une fois.

Chaque fois que tu rentres tard, mon imagination trotte. On dit qu'elle est la folle du logis. Où est-il? Que fait-il? Va-t-il arriver bientôt? Toutes ces questions se bousculent dans ma tête. Pourquoi toujours craindre ainsi? Et ce maudit vent qui ne cesse de gémir!

Un souvenir me revient. J'ai déjà dit, il y a peut-être quinze ans de cela: «Mais maman, qu'est-ce que tu as à t'inquiéter comme ça. Viens t'asseoir!» Mais elle ne venait pas, ne nous entendait pas. Les fenêtres l'attiraient une à une. Et moi, j'étais trop jeune, insouciante, je ne comprenais pas son désarroi. Quinze ans plus tard, je prends la relève comme par instinct. Je suis inquiète de mes petits qui dorment pourtant à poings fermés, je suis inquiète de «mon amour» qui n'est pas encore rentré, je suis inquiète du lendemain. Je suis devenue une maman, une épouse, une femme et ça ne pardonne pas. Et ce maudit vent qui ne cesse d'emplir le soir de sa plainte.

J'entends un bruit, est-ce lui? Mais non, pas encore. L'angoisse grandit en moi, elle me dépasse. Je suis au bord des larmes. Je vais au téléphone. Parler, parler, c'est ce qu'il me faut. Le monde est à l'envers. Ce soir, c'est maman qui me rassure. Je suis redevenue un peu plus sereine et je me dis: «Allons, ma vieille, reprends courage, retrouve ton sourire. Tu sais bien qu'il s'en vient. Il le sait, lui, qu'il vous faut être deux pour survivre. Il a été retenu, a omis de te prévenir.»

«Attendre, encore attendre. Attendre qui, quoi. Et voilà! Je le savais, il fallait que j'y arrive. Cette fois, je ne lui pardonne pas. Moi, je suis toujours là et lui jamais. Allons, tu exagères, ne te laisse pas aller à la colère. Étends-toi plutôt, relaxe un peu!»

Enfin, enfin le voilà! Cette fois, je ne me trompe pas. Mon cauchemar est terminé. Il ouvre la porte. «Où étais-tu rendu? J'étais folle d'inquiétude. Tu aurais dû me prévenir.» «J'ai oublié...!» Il a oublié et moi aussi, je vais oublier et pardonner parce que je l'aime.

Le vent souffle toujours en rafale, mais je ne l'entends plus, je ne suis plus seule, je suis heureuse. Je m'endors paisible, il veille sur moi. Je l'aime et il m'aime.

Prière d'une grand-maman

Il est presque sept heures, seulement sept heures, ça m'a paru bien long aujourd'hui...

Depuis qu'on m'a amenée ici au foyer, les journées me semblent interminables. De mon fauteuil, je me retrouve seule, face à Toi Seigneur sur la petite croix à la tête de mon lit.

C'est dur Seigneur de se retrouver ici, mais c'était sans doute mieux ainsi. Tu vois, j'ai eu douze enfants, j'ai fait beaucoup de sacrifices pour les faire instruire. Aujourd'hui, ils sont tous bien installés. Il me semble pourtant avoir fait tout mon possible, mais Seigneur, tu vois les années passent et ne se ressemblent pas...

Je pense qu'ils m'ont oubliée, je n'ai presque pas de nouvelles, ah! oui mon petit fils Michel avait besoin de mitaines, sa mère est venue me porter la laine...

Je sais Seigneur, qu'ils sont tous très occupés, avec leur petite famille, moi, je suis un peu «vieux jeu» alors je serais une surcharge pour eux, un sujet à problèmes.

Seigneur, aujourd'hui dimanche, personne n'est venu...

Seigneur, s'ils savaient à quel point je les aime, à Toi je peux bien le dire...

Maintenant que je ne suis plus utile à personne... viendras-tu me chercher bientôt? J'ai peur et hâte à la fois. Il me semble que ma vie a été bien peu de chose pour mériter cette joie parfaite, ce bonheur éternel avec Toi.

Tous les enfants que tu m'as donnés Seigneur, ils sont aussi à Toi, si tu le veux bien, ne permets pas qu'ils s'éloignent de toi.

Je te fais le don total de moi-même, et de chacun de mes enfants et le temps qu'il me reste, je veux l'employer à ne vivre que pour toi.

Si tu décides de me garder encore quelques années Seigneur, est-ce que je peux te demander de donner Toi-même un peu d'utilité à mes pauvres prières, c'est à peu près tout ce que je peux faire...

Seigneur, puis-je me permettre de t'inviter avec ta Mère, on pourrait peut-être passer cette soirée ensemble tous les trois...

Marie-Claire

La femme et le téléphone muet

Encore ce matin, j'attends ton téléphone. Depuis des jours je ne vis plus, c'est intenable. Je suis là à faire les cents pas, à surveiller la sonnerie du téléphone. Ce sera une autre de ces journées où je ne ferai rien. J'essaie de travailler, de m'occuper mais je ne peux me concentrer. Plus rien ne m'intéresse même la musique m'ennuie puisqu'elle m'attriste.

Tu devais me rappeler, mais rien, aucun signe et comme il m'est difficile de te rejoindre, je suis là à attendre ton appel. Je m'imagine un tas de choses, je me demande ce qui s'est passé depuis notre dernière conversation, en quoi et où j'ai manqué. Je t'aime, je rêve, je t'en veux, je voudrais te faire mal, je voudrais que tu souffres autant que moi puis je tomberai dans tes bras pour te consoler.

J'essaie de me défendre, de me raisonner, de m'empêcher de penser, d'espérer mais je pense à toi et ça recommence. Je n'en peux plus, je te dis tout bas les choses les plus affreuses, je cherche comment je pourrais te blesser davantage puis je te dis je t'aime et je voudrais le crier à tous. Il y a sûrement une explication à ton agissement mais laquelle, j'ai peur de savoir. Au moment où je crois t'avoir oublier un peu, un objet, un geste banal, me ramène vers toi. Tout m'incite à penser à toi. Les moindres choses me rappellent un souvenir de nous, de notre complicité. Je te sens si loin et si près à la fois. Je m'inquiète, je m'impatiente, je te déteste puis je t'aime encore plus.

Je me ressaisis, je me reprends. Je crois avoir dépassé cette phase de la dépendance, puis à bien y songer, je me demande si je suis plus heureuse ainsi. Je m'attache à toi de plus en plus et j'aime ces chaînes. Soudain je souhaite me guérir de toi et j'espère m'en sortir. Je me dis alors que je suis incurable car tu restes toujours présent en moi.

Je te suis constamment en pensée et je te désire en permanence. Peut-être as-tu compris à quel point et à quel prix je t'aime, ce serait là, la raison de ton silence.

Comme toi, j'ai l'impression de ne plus avoir de temps à perdre avec ma vie alors dépêche-toi, téléphone-moi, un mot et je te rejoindrai...

Dans l'attente de tes caresses, tu seras à jamais,

mon bonheur saisonnier.

Pensées

Mieux vaut une passion éperdument manifeste qu'un amour caché (Sainte-Beuve).

Dans n'importe quel ménage quand il y a deux hommes, c'est toujours le mari qui est le plus laid (Georges Feydeau).

Il est vrai qu'on ne peut trouver de bonheur parfait mais il est bon de le chercher: en le cherchant on trouve de fort beaux secrets qu'on ne cherchait pas. Adaptation (Fontenelle).

Un style trop étudié et trop recherché est la marque d'un petit génie (Charles Rollin).

Mon Pop's

Ce que je vais vous raconter, ne se raconte qu'entre amis, qu'entre vous et moi. C'est une belle histoire qui compose une partie importante de ma vie. Si l'enthousiasme, l'optimisme me gagne chaque jour, je le dois à mon éducation. Né et élevé dans un milieu défavorisé, les belles choses de la vie devaient composer mon avenir, c'est-à-dire l'idéal à poursuivre. Il me semble que vous aimez cela quand je vous parle de belles choses parce que la vie nous a tous éprouvés, de façons différentes, un jour ou l'autre. Mais il est certain que nous sommes beaux en dedans et c'est là que nous nous rejoignons. Tout le monde a eu un père, même si tout le monde ne l'a pas connu. Dans mon cas, je puis vous certifier, qu'il a été d'une beauté que jamais je ne pourrai surpasser. Si vous m'aimez un peu ou beaucoup, vous auriez aimé mon père passionnément.

Ayant perdu ma mère à l'âge de cinq ans, mon père est devenu un genre de héros pour moi. Il n'a jamais voulu se remarier, de peur qu'une autre femme vienne «maganer son petit» comme il disait. Pourtant il adorait la femme et le seul grand reproche que j'aurais à lui adresser, c'est bien de s'être sacrifié, croyant cela nécessaire à ma bonne éducation. Après tout, il n'avait qu'autour de quarante-deux ans au décès de ma mère, la force de l'âge quoi. Non! Son Serge est devenu toute sa vie. Pour me divertir, il m'amenait au base-ball voir les Royaux jouer un programme double le dimanche après-midi au stade Delorimier. Il n'en avait presque pas les moyens puisque cela signifiait boissons gazeuses, crème glacée, *peanuts* et chips, parfois même *hot-dogs* enfin, rien de trop beau pour son Serge, ce jour-là. C'était la fête.

Il se dépensait beaucoup dans la maison faisant aussi bien la cuisine que la lessive. Il me lavait, m'habillait pour l'école en ajustant ma casquette, l'hiver très tôt le matin en me disant toujours avant de partir: «regarde bien des deux côtés de la rue avant de traverser la grande rue Ontario (où il y avait les tramways à cette époque) et n'accepte jamais de suivre un étranger dans sa voiture, au restaurant où ailleurs. Rentre immédiatement.»

Naturellement il travaillait et n'était pas là le midi. Très jeune, j'ai donc appris à me débrouiller sur tous les plans. Système «D». Les voisins et surtout le restaurateur d'en face m'accueillaient à tour de rôle et c'est à qui me nourrirait le plus. Résultat: j'étais le p'tit gars le plus gras de la rue, même orphelin de mère. J'aurais peut-être pu mal tourner, à cause de cette enfance exceptionnelle, mais le soir, tous les soirs, mon père dialoguait avec moi dans notre taudis du 3e étage. Il me répétait souvent: «tu sais Serge, fais attention, tu n'as plus ta mère, tu n'as pas de sœur et moi je fais mon grand possible. Tes frères sont grands, mais toi t'es mon trésor, tu remplaces ta mère pour moi alors tu es ce que j'ai de plus cher au monde. Ne l'oublie jamais.»

J'ai donc grandi avec le respect de cet homme sans instruction, mais riche d'une beauté intérieure que je n'aurai jamais. Ce serait trop long de tout raconter, mais pour couper court, un soir après plusieurs mois d'hospitalisation, l'inévitable se produisit. Le soir du 13 janvier 1968, jour de mon anniversaire de naissance, on me rejoignit d'urgence vers 23 heures pour me signaler que mon «pop's» était au plus mal. Je saute dans ma voiture, enjambe un terre-plein du boulevard Saint-Joseph, brûle quelques feux rouges et arrive en toute hâte à l'hôpital Saint-Joseph de Rosemont.

Il ne me reconnaît pas et j'en suis très attristé. Je ne voulais absolument pas qu'il meure le jour de ma fête. Jamais plus je ne l'aurais célébrée. Il s'éteindra à 10.45 heures, le dimanche 14 janvier, ouf! au lendemain d'une date qui n'aurait plus jamais eu la même signification pour moi. Ce qui fera dire à la garde de service, il a lutté inconsciemment pour éviter de vous faire le plus désagréable des cadeaux le jour de votre anniversaire.

À tous ceux qui m'écoutent présentement, chérissez votre «pop's» pendant qu'il est là. C'est un ami et c'est beaucoup plus à vous d'aller vers lui que le contraire. Allez et sans honte, embrassez-le ce soir, demain, faites-le pour moi. J'aimerais tellement être à votre place.

Salut pop's, Bonne fête des Pères.

Si on s'y arrêtait

En feuilletant un journal l'autre jour, mon regard s'est posé sur les paroles d'une chanson de Suzanne Beausoleil, cette jeune aveugle qui chante merveilleusement comme Nana Mouskouri. Et je dois avouer que cela m'a fait réfléchir...

Je me suis demandé ce que serait ma vie si j'étais aveugle moi aussi. Ne plus voir le soleil briller, les arbres refleurir au printemps, la neige scintiller et surtout ceux que j'aime: mes enfants, mon mari, mes amis...

J'ai fermé mes yeux, voulant savoir combien de temps je résisterais avant de les ouvrir. Je croyais bien avoir résisté au moins cinq minutes alors qu'une seule s'était écoulée. C'est machinal, nos yeux s'ouvrent et se referment des milliers de fois par jour. L'aveugle aussi, mais à la différence qu'il ne voit jamais rien. Il est toujours plongé dans le noir même s'il ouvre ses yeux.

Bien sûr, vous me direz qu'un aveugle-né souffre moins qu'une personne qui le devient après avoir vu. Mais lorsqu'on croise l'une de ces personnes sur la rue, on dit tout de suite: «Pauvre homme», et on continue à vivre sans que cela nous attriste davantage.

Nous sommes-nous seulement posé la question, ne serait-ce qu'une seule fois? Et si MOI, j'étais comme eux? Je suis persuadée que cette pensée n'a effleuré l'esprit que de bien peu de gens et peut-être encore était-ce parce qu'ils devaient en cotoyer. Je crois que cette réflexion peut s'appliquer à toutes les formes de handicaps. Que ce soit pour l'aveugle, le sourd-muet, le paralytique cérébral ou tout autre défavorisé de la vie.

D'un autre côté, nous employons nos cinq sens à tous les jours, nous, les chanceux!!! Nous lisons, écoutons, goûtons à la vie mais sans vraiment nous en rendre compte. Chaque geste est tellement machinal qu'on s'arrête rarement pour l'apprécier. Chaque partie de notre corps est essentielle à son bon fonctionnement. Cela peut sembler idiot, mais s'il nous manquait ne serait-ce qu'un seul orteil et bien on boiterait.

Ma modeste réflexion ne voulait pas inspirer la pitié. Bien au contraire, elle voulait crier combien la vie est belle et vaut la peine d'être vécue même pour nos amis handicapés comme Suzanne Beausoleil et Serge Leblanc par exemple.

Bravo je vous admire!!!

Francine G.

L'étonnante vie humaine

Une vie humaine est si étonnante, si incompréhensible!

D'année en année, jour après jour, tu te meus au milieu des hommes et des choses.

Certains jours le soleil brille et tu ne sais pourquoi. Tu es joyeux.

Tu vois les beaux et bons côtés de la vie. Tu ris, tu remercies, tu danses. Ton travail avance. Tout le monde est aimable avec toi. Tu ne sais pourquoi. Peut-être as-tu bien dormi? Peut-être as-tu trouvé un bon camarade et te sens-tu en sécurité?

Tu voudrais faire durer l'instant de paix et de joie profonde. Mais d'un seul coup tout est à nouveau changé. Comme si un soleil trop brûlant attirait les nuages, tu es envahi par une sorte de tristesse que tu ne peux expliquer. À nouveau tu vois tout en noir. Tu crois que les autres se désintéressent de toi. Une futilité est une occasion pour te plaindre, «râler», jalouser et lancer des reproches. Tu penses que cela durera ainsi, que cette humeur ne changera plus. Et à nouveau tu ne sais pourquoi ça rechange. Pourquoi doit-il en être ainsi? Tu l'ignores.

Parce que l'homme est un morceau de «nature» avec des jours de printemps et des jours d'automne, avec la chaleur de l'été et le froid de l'hiver. Parce que l'homme suit le rythme de la mer: marée haute et marée basse. Parce que notre existence est une alternance continue de «vivre» et de «mourir».

Une lettre de Jésus

Cher ami,

Comment vas-tu? Il fallait que je t'envoie un mot pour te dire comment je t'aime et me fais du souci pour toi.

Je t'ai vu hier quand tu parlais à tes amis. J'ai attendu toute la journée en espérant que tu me parlerais aussi. Quand vint le soir, je te donnai un coucher de soleil magnifique pour terminer ta journée, et une brise fraîche pour te reposer... et j'attendis. Tu n'es jamais venu. Oh! oui, ça m'a fait mal d'être ignoré, mais je t'aime quand même.

La nuit dernière, je t'ai vu t'endormir et désirant toucher ton front, j'ai répandu un rayon de lune sur ton oreiller et ton visage et j'attendis encore. Mais tu ne m'as pas parlé. Tu te réveillas tard et partis précipitamment pour travailler, et mes larmes étaient mêlées à la pluie qui tombait alors.

Aujourd'hui tu as l'air tellement triste, tellement seul, ça me brise le cœur parce que je comprends. Mes amis m'ont laissé tomber et m'ont blessé très souvent, moi aussi. Si seulement tu partageais avec moi ta pluie et ta solitude, je suis certain que je pourrais t'en soulager. Je t'aime, tu sais, et j'essaie de te le dire par le ciel bleu et par la tendre herbe verte. Je te le murmure dans les feuilles des arbres, et te l'écris dans la couleur des fleurs. Je te le crie dans les ruisseaux de montagne et je donne aux oiseaux des chansons d'amour à te chanter. Je t'habille de la chaleur du soleil et aromatise l'air du parfum de la nature.

Mon amour pour toi est plus profond que l'océan et plus grand que le plus vif de tes désirs. Oh! si seulement tu savais combien je veux te parler et t'accompagner sur la route.

Je sais que c'est parfois difficile sur cette terre, je le sais vraiment j'y ai vécu aussi. Et puis, je veux que tu rencontres mon père; car, mes amis sont les siens aussi.

Appelle-moi... demande-moi... parle-moi! Ne m'oublie pas, j'ai tant de choses à partager avec toi.

Je ne t'importunerai plus, tu es libre de m'accepter comme ami. C'est ta décision. Moi, je t'ai choisi, et à cause de cela, j'attendrai encore parce que je t'aime!

Ton ami J.-C.

Pensées

L'amour c'est comme une clôture de broche dans laquelle tout le monde s'accroche.

L'idéal de l'amitié c'est de se sentir un et de rester deux.

Comme la vie est quotidienne, mettons-y de la beauté, ça la «détemporisera».

N'oublions pas que le jour où quelqu'un nous aime, il fait très beau... et je vous aime.

La beauté ne peut relever que du divin.

Tout ce qu'une génération dit: la suivante s'en moque.

Le Goéland

Extrait intégral d'un spectacle donné à la Place des arts du 4 au 10 déc. 1978.

Avant de vous dire bonsoir, j'aimerais.../voulez-vous que je vous conte une histoire? Une petite histoire bien courte, bien belle. Celle de Jonathan, un goéland comme les autres... Un jour, Jonathan s'est demandé: «Et pourquoi est-ce que je me contenterais de faire toute ma vie ce que les goélands apprennent aux autres goélands? Planer au-dessus du port... écorniffler autour des bateaux de pêche... revenir au port...» Il dit: «J'ai envie de voler plus haut.» Et il se mit à pratiquer à monter, monter plus haut dans le ciel. Jusqu'à ce qu'un jour, toute la Terre lui apparaisse à peine plus grosse qu'une île. Il dit: «J'ai envie de voler plus vite.» Et il se mit à voler aussi vite que la lumière des étoiles.

Vous pensez que j'exagère? Qu'un goéland ne peut pas voler si haut? si vite?

Les autres goélands de la colonie de Jonathan ne croyaient pas, eux non plus, que c'était possible. Ils tinrent conseil et ils dirent à Jonathan: «Jonathan, ou bien tu vis avec nous, comme nous, ou bien tu t'en vas!» Jonathan essaya de leur expliquer: «Si vous saviez ce qu'on éprouve là-haut... la sensation de découverte!... de grande liberté!... la sensation d'exister! Ça ne vaut pas la peine de venir au monde, si c'est seulement pour être un goéland comme les autres.»

Il eut beau leur raconter tout ce qu'il avait vécu d'exaltant, il fut quand même chassé de la grande famille des goélands. Pour toujours.

Quelque temps plus tard, alors qu'il volait très très haut tout près du soleil, il vit venir un autre goéland. Et derrière lui, un autre! Puis dix! Puis mille! Des goélands qui, comme lui, avaient pris le goût d'être uniques. De courir après leur rêve... et de l'attraper!

Chanson le goéland (Paroles)

Le plus grand rêve de l'homme de tous les temps
C'est de pouvoir un jour comme le goéland
S'échapper, voler.

Et pourtant il suffirait de si peu de chose
Pour que l'envie soit plus forte que l'on ose
S'échapper, voler.

Je voudrais être un goéland
Et franchir le mur des vivants
Puis voler au-delà des mers de la terre
Je voudrais être un goéland
Me laisser porter par les vents
Sans jeter un regard en arrière, sur la terre.

Tant qu'à faire de mourir autant mourir au soleil
Et moi je veux connaître le monde et ces merveilles
Au soleil, soleil
Partir mais avant écrire une symphonie
Qui durerait beaucoup plus longtemps que ma vie
Sur terre, sur terre

«Symbole de la liberté qui m'est chère»

Clause testamentaire finale

«En souvenir de moi»

Un jour viendra où mon corps recouvert d'un drap blanc, soigneusement tiré aux quatre coins du lit, restera immobile sur un lit d'hôpital parmi la rumeur des vivants et les affres des mourants. À un moment donné, un médecin constatera que mon cerveau a cessé de fonctionner et qu'à tous égards, la vie m'a quitté.

Quand cela arrivera, n'essayez pas de me maintenir artificiellement en vie au moyen d'un appareil. Et ne parlez pas de mon «lit de mort». Dites plutôt «lit de vie» et laissez emporter mon corps pour qu'il serve à donner à d'autres une vie plus riche.

Qu'on donne mes yeux à celui qui n'a jamais vu le lever du soleil, le visage d'un bébé ou l'amour dans le regard d'une femme. Qu'on donne mon cœur à celui dont le cœur n'a été qu'une cause permanente de souffrance.

Qu'on donne mon sang à l'adolescent qu'on a sorti des débris de sa voiture afin qu'il vive assez longtemps pour voir jouer ses petits enfants. Qu'on donne mes reins à celui qui doit recourir de semaine en semaine au rein artificiel. Qu'on prenne mes os, mes muscles, tous les nerfs et tous les tissus de mon corps et qu'on trouve le moyen grâce à eux, de faire marcher un enfant paralysé. Qu'on explore tous les recoins de mon cerveau. Qu'on en prenne la matière s'il le faut afin qu'un jour un jeune garçon privé de la parole soit capable de crier sa joie et qu'une petite fille sourde puisse entendre la pluie battre contre les vitres.

Qu'on brûle ce qui restera de moi et qu'on répande mes cendres à tous vents pour aider les fleurs à pousser.

S'il faut mettre quelque chose en terre, que ce soit mes fautes, mes faiblesses et tous mes préjugés à l'encontre de mes semblables.

Si par hasard vous désirez conserver mon souvenir, faites-le en aidant d'un mot ou d'un geste quelqu'un qui en aura besoin.

Si vous faites tout ce que je vous ai demandé, je vivrai éternellement.

Merci de votre attention,

Serge